당신은 반드시 유창한 영어로 말하게 된다

You'll Definitely Become Fluent in English

───── • ─────

외국어 자연 습득의 원리

Principles of Natural Acquisition
Of Foreign Languages

지갑수 지음

당신은 반드시 유창한 영어로 말하게 된다
You'll Definitely Become Fluent in English

―――• •――――

외국어 자연 습득의 원리
Principles of Natural Acquisition
Of Foreign Languages

지갑수 지음

부크크 ✎

일러두기

* 출처 표시 중 페이지 번호가 없는 것은 그 책이 텍스트 자동 재배치
(reflow) 기능이 있는 전자책이기 때문입니다.
* 본문의 웹페이지 링크는 시간이 흐르면 변할 수 있습니다.

차례

머리말

　이 책은 당장의 영어 실력과 상관없이 '누구나' 빠르게는 6
개월, 아무리 오래 걸려도 2~3년이면 '반드시' 영어로 술술 말
할 수 있게 해 주는 과학적인 방법을 담고 있습니다. '누구나'
'반드시'라고 말씀드린 것처럼 이 책에서 시키는 대로만 하시
면 모두가 반드시 성공하며 절대 실패하지 않습니다. 왜 그렇
게 될 수밖에 없는지는 '4. 언어 습득 환경의 4요건'에서 빠르
게 확인하실 수 있습니다.

　이 책에서 제시하는 저 4요건의 이론적 원칙은 시대가 변한
다고 달라질 수 있는 성격의 것이 아닙니다. 그러나 그 원칙을
실현하는 방법은 기술의 발전 양상 등에 따라 이 책에서 제안
하는 것보다 더 효율적인 것이 나올 수도 있겠습니다. 그런 새
로운 방법의 출현을 기대합니다. 요즘은 AI 등 기술 발전이 워
낙 빠르니까요. 하지만 어떤 기술에도 의존하지 않는 이 책의
원초적인 방법의 가치 역시 사라지지는 않을 것입니다.

2024년 지갑수

1. 언어는 원래 배우기 쉽다

불과 10여 년 전만 해도 외국어가 단기에도 가능하다는 주장은 의심의 눈초리를 피할 수 없었습니다. 책을 팔아먹으려는 상술 정도로 여겨지곤 했죠. 물론 2~3주 만에 영어 말문이 터진다는 식의 말은 여전히 허튼소리에 가깝습니다.[1] 하지만 유튜브(Youtube)와 같은 동영상 플랫폼들이 세계적으로 일상화되면서 과거에는 볼 수 없었던 영상들이 퍼져나가게 됩니다. 바로 세계 구석구석에서 살아가는 보통 사람들의 수많은 평소 생활 영상인데 그중에는 불과 2~3년 만에 외국어를 배워 술술 말하는 사람들의 영상들도 다수 포함되어 있었습니다.

이제 10여 년 전이라면 의심의 눈초리를 던질 사람들도 깨닫습니다. 더 이상 외국어가 단기에 가능하다는 주장을 상술 정도로 평가절하할 수 없는 세상이 되었다는 것을요. 영상만이 아닙니다. 3년 만에 태국어를 유창하게 구사하게 된 미국인의 사례를 세계에서 가장 잘 팔리는 교과서 중 하나인 '언어 학습 교수의 원리(Principles of Language Learning and Teaching)'에서 소개하는[2] 실정입니다. 그런데 여기에서 문제

---

1) 메조판티(Giuseppe Caspar Mezzofanti, 1774~1849)처럼 72개 언어를 구사하고 배운지 일주일 만에 외국어 말문이 터지는 사람이 있긴 합니다만 인류 역사를 통틀어 유일무이한 사례이니 일반화할 대상은 아닙니다.

2) H. Douglas Brown, *Principles of Language Learning and Teaching*, 6th edition, p.205 (Pearson Longman, 2007)

가 발생합니다.

외국어 학습법이라는 것이 따로 없던 과거에는 물론이거니와 학습법들이 범람하는 요즘에도 어떤 외국어로 말하게 되는 방법은 어떤 식으로든 결국은 공부였습니다. 그리고 외국어 공부란 곧 읽기라고 해도 과언이 아닐 정도로 공부에서 읽기가 차지하는 비중은 압도적입니다. 왜냐면 외국어 교육계에는 '아웃풋(output)은 인풋(input)에 절대적으로 의존한다'는 과학적 진리, 즉 garbage in, garbage out에 입각하여 인풋에 가장 효과적인 것은 읽기이므로 '읽기 실력이 바탕에 있지 않으면 듣기든 말하기든 쓰기든 아무것도 제대로 할 수 없다'는 금과옥조가 있기 때문입니다. 읽기는 모든 외국어 공부의 기초이자 뿌리라는 겁니다.

그런데 말입니다. 단기간에 외국어를 구사하게 된 저런 사람들 사이에서 한 가지 공통점이 발견됩니다. 바로 말하기를 잘하고 읽기를 오히려 잘하지 못한다는 점이 그것입니다. 앞서 교과서에 등장한 사람인 미국인 여성 캐시(Kathy)도 말합니다. "저는 태국어로 일상 대화를 나누는 게 더 편하고 ... 읽는 능력은 많이 부족해서 간판이나 광고물과 같은 것들을 읽어내는 생존 수준에 불과했습니다."3) 생각해 보면 글씨를 아예 모르는 이른바 문맹들도 말은 잘만 합니다. 글씨를 모르는 사람들인데 공부를 했을 리가 없죠. 외국어로 말하고 싶으면 열심히 공부해야 한다는 그간의 믿음이 뿌리째 흔들리고 있는 겁니다.

물론 외국어에서 공부는 여전히 중요합니다. 특히 성인 외국어 학습자에게는 더욱 그러하며 저도 이 점을 부정하지 않습니다. 그러나 공부는 모든 사람을 외국어로 읽게 하는 방법으로는 우수할지 몰라도 말하게 하는 방법으로는 탁월한 것이 아님

---

3) H. Douglas Brown, ibid. p.205

을 우리는 그간 영어를 공부한 경험으로 이미 어렴풋이나마 느끼고 있습니다. 2~3년 만에 외국어로 술술 말하는 사람들 거의 대다수도 이구동성으로 말합니다. 공부로 접근했다면 절대 지금처럼 할 수 없었을 거라고 말입니다. 그렇습니다. 영어로 술술 읽고자 한다면 지금까지 해왔던 것처럼 공부에 매진하는 게 맞습니다. 그러면 공부한 만큼 반드시 그에 비례해 독해 실력은 향상됩니다. 그러나 영어로 말하고자 한다면 이야기가 달라집니다. 말하기 실력은, 글을 전혀 모르지만 말은 잘하는 문맹자들을 통해서 이미 확인할 수 있는 것처럼, 공부의 양이나 질에 결코 비례하지 않습니다. 따라서 전통적 방식의 공부의 비중은 오히려 줄여야 합니다. 문제는 그렇게 해서 생긴 시간을 어떤 활동으로 채우느냐입니다.

캐시는 태국에서 5년을 살았습니다. 그러나 단기간에 외국어로 말할 수 있게 된 사람들 모두가 캐시처럼 해외 현지에 머물며 언어를 습득한 것은 아닙니다. 상당수는 모국을 떠나 본 적도 없는 순수 국내파들입니다. 즉 해외 체류 경험은 저 뛰어난 외국어 습득자들의 공통점이 아닙니다. 아시다시피 해외에서 유학을 하거나 심지어 이민을 가서 살아도 제대로 말문이 터지지 않는 사람들 역시 부지기수입니다. 그렇다면 저들은 도대체 어떤 방법을 썼기에 읽기를 잘하지 못하는 국내파이면서도 불과 2~3년 만에 외국어로 거침없이 말할 수 있게 된 걸까요?

이쯤 되면 방법의 문제가 아니라 그냥 저들이 언어 천재여서이지 않을까라는 의심이 들기도 합니다만 그건 아닙니다. 언어 천재라면 말하기에서 거둔 성과에 못지않은 성과를 읽기에서도 거뒀어야 하니까요. 하지만 저들은 우리만큼이나 독해를 어려워하고 잘하지 못합니다. 그냥 평범한 보통 사람들인 것입니다.

언어 천재가 아닌 보통 사람들이 단시간에 외국어로 말할 수 있게 되는 이유 중 하나는 말하기가 언어의 4영역인 읽기, 듣기, 쓰기, 말하기 중 가장 쉽기 때문입니다. 농담이 아닙니다. 공부로만 외국어를 접해 온 사람들은 읽기가 가장 쉽고 말하기가 가장 어렵다고 믿는 경향이 있습니다만 편견입니다. 읽기는 책만 있으면 곧장 할 수 있으니 접하기가 가장 쉬운 것입니다. 이를 사람들이 읽기가 쉬운 것으로 착각하는 것이죠. 실은 읽기의 난도는 언어의 4영역 중 가장 높습니다. 외국어 학습에서 성과가 잘 안 나오는 이유는 가장 어려운 영역인 읽기부터 시작하기 때문인지도 모릅니다. 두 번째로 어려운 영역은 듣기입니다. 그 다음은 쓰기, 그리고 가장 쉬운 것이 바로 말하기입니다.4) 그렇기 때문에 언어 천재가 아니더라도 외국어에서 가장 빠르게 마스터할 수 있는 분야가 말하기인 것입니다. 밑도 끝도 없이 말하기가 가장 쉽다고 말씀드리는 게 아닙니다.

---

4) 최고 수준으로 잘하려면 물론 4영역 모두 다 어렵습니다. 여기에 서는 일상에서 흔히 이뤄지는 읽기, 듣기, 쓰기, 말하기를 일컫습니다.

2. 영어 말하기로 가는 길

한 언어를 마스터한다는 것을 굉장히 어려운 일로 여기는 경향이 있습니다만 그것은 마스터라는 단어를 들었을 때 우리의 머리에 떠오르는 이미지가 스승 내지는 최고 고수 혹은 완벽, 무류(infallibility), 막힘없는 통달 등등이기 때문입니다. 그러나 언어를 이런 식으로 극히 일부만 마스터의 자리에 오르는 통상의 기예처럼 생각하시면 안 됩니다. 언어 마스터는 그런 게 아닙니다.

언어학 교과서들에 따르면 세계의 그 어떤 언어든 원어민들은 4살만 돼도 해당 언어를 마스터합니다.5) 일부만이 아니라 모두6)가 마스터합니다. 이는 달리 생각하면 4살 아이의 수준만

---

5) Victoria Fromkin, Robert Rodman, Nina Hyams, *An Introduction to Language*, 9th Edition, p.324 (Wadsworth Cengage Learning, 2011) / Erika Hoff 저, 이현진 외 역 '언어 발달' 2nd edition, p.9 (시그마프레스, 2001) / David W. Carroll, *Psychology of Language*, 5th edition, p.329 (Thomson Wadsworth, 2008) / Anne Curzan, Michael Adams, *How English Works: A Linguistic Introduction*, p.320 (Pearson Eduction Inc., 2006) / Barbara Lust, *Child Language: Acquisition and Growth*, p.1 (Cambridge University Press, 2006) etc.

6) 단순 언어 장애(Specific Language Impairment)처럼 모든 인지 기능이 멀쩡한데도 모국어 습득에 실패하는 사례도 있긴 하지만 이는 어쨌든 장애 사례이고 이 책은 언어 장애 극복 관련 서적이 아니므로 논의에서 제외합니다.

돼도 언어를 마스터할 최소 기준은 이미 충족했다는 말과도 같습니다. 물론 4살 아이는 성인처럼 말하지는 못하므로 아무리 언어학 교과서에 나와 있어도 그게 어떻게 언어 마스터냐는 의문을 품을 수 있겠습니다만 그것은 아이의 그 나이 때 지능의 문제이지 언어 마스터 가·불가의 문제가 아닙니다.

미국국립의학도서관(National Library of Medicine)에서 2020년 발표한 자료에 따르면 미국 4살 유아의 평균적인 어휘력은 1천여 단어 정도입니다.[7] 1백만 명을 대상으로 실시한 2016년 조사에 따르면 미국인 20세의 평균 어휘력은 4만2천여 단어[8]입니다. 같은 조사에 따르면 나이가 더 들어도 어휘력은 큰 변화가 없어서 60세가 되면 평균적으로 4만8천여 단어를 알게 됩니다. 그럼 우리도 성인으로서 영어로 술술 말하려면 최소 4만2천 정도의 어휘를 알아야 할까요? 학습법에서는 그렇다고 말하며 여전히 어휘 공부를 강조합니다만 아닙니다. 4만2천은 현지에서 정상적인 교육을 받은 미국인 성인이 때로는 여러 전문 분야까지 망라하는 각종 강의나 뉴스, 프로그램, 시, 소설, 교과서, 잡지 등등을 영어로 직청직해 직독직해하는 데 필요한 모든 어휘까지 포함한 수치일 뿐입니다.

듣거나 읽을 때와 달리, 혹은 토론이나 연설, 발표나 강의 등을 할 때와는 달리, 일상의 말을 할 때는 교육 받은 영어 원어민 성인도 4살 아이와 크게 다르지 않습니다. 어른이 아이와

---

[7] Developmental milestones record - 4 years:
https://medlineplus.gov/ency/article/002015.htm
[8] Most U.S. adults have vocabulary of more than 42,000 words
https://www.upi.com/Science_News/2016/08/16/Most-US-adults-have-vocabulary-of-more-than-42000-words/2801471361934/

똑같이 말한다는 의미가 아닙니다. 아이와 마찬가지로 구사하는 문장은 단문 위주가 되고9) 단어 역시 성인 관심사의 콘텐츠를 표현하기 위해 꼭 써야 하는 어려운 단어들을 제외하면 아이들이 사용하는 기본 어휘 범위를 크게 벗어나지 않는다는 의미입니다. 제가 혼자 멋대로 하는 주장이 아닙니다.

언어학자이자 외국어 습득학자인 스튜어트 웹(Stuart Webb)은 실제 조사를 통해 800단어 내에서 미국인 성인 일상의 75%가 이뤄짐을 밝혀냈습니다.10) 스튜어트 웹만이 아닙니다. 찰스 케이 옥든(Charles Kay Ogden, 1889~1957)같은 사람은 좀 더 나아가 이미 1925년부터 850단어면 성인 일상을 100% 감당할 수 있다고 주장하기도 했습니다. 이게 가능한 이유는 어떤 어려운 단어를 사용해야 할 경우, 그 단어를 모르더라도 다른 쉬운 단어로 돌려서 대부분 다 말할 수 있기 때문입니다.

가령 '길들인 고양잇과 동물들'을 제대로 영어로 바꾸면 domesticated felines지만 domesticated도 모르고 feline도 모른다고 해도 cats made to live with people이나 cats trained to live with humans 혹은 cats that have learned to live with people처럼 쉬운 단어만을 이용해도 얼마든지 여러 가지로 표현할 수 있는 식입니다. 학습용 영영사전들이 1천 개 정도의 단어만을 사용해 수십만 개의 수록

---

9) 글과 달리 말에서는 문장이 길고 복잡해지면 듣는 사람이 이해하기 어려움은 물론, 심지어 말하는 사람도 말이 꼬일 수밖에 없기 때문입니다. 현대에 들어 이런 경향은 말뿐 아니라 심지어 글에까지 침투해 일반화될 지경입니다. 가령 19세기까지만 해도 책에서는 단문보다 중문과 복문이, 짧은 문장보다 긴 문장이 선호되었으나 이제 책을 그렇게 쓰면 아예 팔리지 않습니다.

10) How many words do you need to speak a language? https://www.bbc.com/news/world-44569277

어휘를 전부 설명하는 것만 봐도 알 수 있듯 이는 어떤 상황에서도 100% 통하는 전략이며 실제 각국 원어민들이 이미 실생활에서 애용 중인 방법이기도 합니다. 저만 해도 나이가 50을 넘은 이후로는 기억이 안 나는 단어가 해가 갈수록 많아져서 한국어로 말할 때도 종종 저 전략을 구사합니다. 물론 당연히 저는 한국어 원어민입니다.

또한 복잡한 구조의 문장을 만들 줄 몰라도 말하기를 하는 데는 거의 지장이 없습니다. 읽기를 할 때와 달리 말하기를 할 때는 사실 기억의 한계 때문에 아무리 똑똑한 사람이라도 복잡한 구조의 긴 문장을 구사하기가 어렵습니다. 그래서 거의 모든 사람이 여러 개의 단문을 이어서 말하는 방식을 이용합니다. 가령 Whatever may be said in praise of poverty, the fact remains that it is not possible to live a really complete or successful life unless one is rich.[11]처럼 길고 우아하게 말할 수도 있겠지만 You praise poverty. You say you like it. You can say anything about it. But if you're poor, your life's still difficult. No complete, no successful.[12]처럼 단문을 반복하여 투박하게 말할 수도 있습니다. 의미 손실도 거의 없습니다. 그러면서도 훨씬 더 쉽죠.

---

11) 월리스 워틀스 저, 지갑수 역 '부자가 되는 과학적 방법' p.14 (한국학술정보, 2007) 영문의 의미는 '별의별 미사여구를 동원해 가난을 칭찬할 테면 하라. 그래 봐야 부자가 아닌 사람의 인생은 진정으로 완벽하고 성공적인 인생이 될 수 없다는 사실에는 변함이 없다.'

12) 본문의 문장들은 다소 공격적으로 들릴 수 있는데 문장 구조의 단순성을 좀 희생하면 다음처럼 순한 문장도 가능합니다. Poverty can be praised; it can even be liked. But if you're poor, your life is still difficult. This means it is not complete or successful. This fact doesn't change.

언어학자들이 왜 1천 단어 수준인 4살을 언어 마스터 상태로 판단하는지 짐작할 수 있는 대목입니다. 즉 한국인 성인 역시 사실상 1천여 단어를 알고 또한 영어 단문을 만들어낼 수 있는 수준이면 (비록 원어민 성인처럼 각종 매체를 거침없이 듣거나 읽고 이해하지는 못하더라도) 언어 마스터, 즉 영어로 술술 말하는 경지에 이를 준비만큼은 완료된 상태임을 알 수 있습니다. 그렇다면 실제로 보통의 한국인들은 얼마나 준비되어 있을까요?

한국의 국가교육과정정보센터(National Curriculum Information Center)에서 2022년 발표한 자료에 따르면 한국의 학교 영어에서 초등학생 권장 어휘는 600단어, 중학생 권장 어휘는 1천500단어, 고등학생 권장 어휘는 공통(1학년)이 1천800단어, 일반 선택과 진로 선택, 그리고 융합선택(2, 3학년)의 경우 최저 2천200단어에서 최고 3천500단어입니다.13) 같은 자료에 따르면 이 권장 어휘로는 학습 또는 평가에서 80% 정도를 커버할 수 있습니다.

학습과 평가에서 80%를 커버하는 수준으로는 높은 점수를 얻기는 어렵습니다. 따라서 권장 어휘를 아는 중학생, 혹은 수능 준비생이라면 뛰어난 학생이라기보다는 중상 정도의 학생이라고 할 수 있을 것입니다. 그렇다면 중학교 권장 어휘인 1천500단어가 아니라 1천 단어를 아는 중학생은 중간 정도 성적의 학생이라고 말할 수 있겠죠. 즉 영어를 마스터하고 말하게 될 준비는 대한민국 평균의 중학생 수준만 되어도 갖춰져 있고 평균적인 고등학생이면 이미 차고 넘친다는 의미입니다.

---

13) http://ncic.go.kr/mobile.dwn.ogf.inventoryList.do#에서 고등학교, 영어과를 차례로 선택하면 [별책14] 영어과 교육과정.pdf 자료를 내려 받을 수 있으며 254쪽에 나옵니다.

물론 준비가 갖춰진 것과 실제로 할 수 있는 것은 다릅니다. 아무리 사지가 멀쩡해도 헤엄은 배워서 연습한 사람만 칠 수 있는 것처럼요. 문제는 우리 대다수가 자신이 이미 준비가 갖춰진 상태라는 것을 알지 못하며 영어로 말하게 되는 방법이 공부 말고 따로 있다는 사실 역시 알지 못한다는 데에 있습니다.

이런 정보 부재의 상황에서는 영어 말문이 터진 사람은 공부를 충분히 한 사람, 아직 터지지 않은 사람은 공부를 충분히 하지 않은 사람이 됩니다. 노력해도 안 되면 공부 자체가 올바른 방법이 아니지 않을까 하고 의심하는 게 아니라 자신이 아직 공부가 부족해서라고 생각하는 이른바 '공부 프레임'에 빠지는 겁니다.

이제 사람들은 자신의 성실성을 증명하기 위해서라도 공부로 끝장을 보려고 하게 됩니다. "해 보기나 했어?"라는 시중의 말은 이런 경향을 더욱 부채질합니다. 많은 분들이 그렇게 직접 끝을 확인하기 위해 자신의 인생을 공부에 갈아 넣습니다만 실은 그것은 순진한 행동입니다. 지금은 정보의 시대이니까요.

2.1. 공부는 길이 아니다

마스카와 도시히데(益川 敏英, 1940~)는 일본 교토 산업 대학의 교수입니다. 고바야시 마코토(小林 誠, 1944~), 난부 요이치로(南部 陽一郎, 1921~)와 함께 2008년 노벨 물리학상 공동 수상자이기도 합니다. 공부 능력, 공부에서의 노력 능력이 어마어마하다는 것이 증명된 사람이죠. 그리고 예나 지금이나 학문을 저 정도로 하려면 영어는 필수입니다. 마스카와 도시히데도 영어를 잘하기 위해 엄청나게 공부하고 노력했습니다. 당연히 그는 영어 원서며 영자 신문, 영어로 쓰인 물리학 논문 등을 술술 읽을 정도로 영어를 잘합니다.14) 문제는 말하기입니다. 노벨 물리학상을 받을 만큼 뛰어난 두뇌의 소유자이지만 그는 그 두뇌로 아무리 공부하고 노력해도 나이가 68세가 되도록 영어로는 거의 입도 벙긋할 수 없었습니다. 그래서 관례상 영어로 연설해야 하는 노벨상 수상식에도 처음에는 가지 않으려 했습니다. 노벨상 위원회에서 일본어로 연설할 수 있도록 배려해 준 뒤에야 그는 식에 참석했고 I'm sorry. I cannot speak English.라는 판에 박은 두 문장으로 양해를 구한 뒤 일본어로 연설했습니다.15)

마스카와 도시히데는 특이 사례일까요? 국경을 넘나들며 공부하는 게 당연한, 그리고 대부분 영어와 같은 어족의 언어를 사용하는 서양인이 독식하다시피 하는 노벨상 수상자들 사이에서는 그럴지도 모릅니다. 하지만 자국에서만 공부해야 했던 그 나이 대 동아시아 영어 고수들 사이에서는 전혀 특이 사례가 아닙니다. 노벨상을 받지 못해 도시히데만큼 유명하지 않을 뿐 비슷한 분들은 이곳 한국에도 넘쳐나니까요.

지금 70~80대 나이의 어르신 세대 영어 고수들을 보면 평생 영어를 붙들고 살다시피 해서 어지간한 영미인을 뺨칠 정도로 어휘력이며 영문 독해 능력 등은 뛰어나지만 유학파를 제외하면 영어로는 입도 벙긋 못 하다시피 하는 분들이 대부분입니다. (그렇다고 영어로 말하기 위해서는 유학이 답이냐면 아님

---

14) Japanese Nobel Laureate Stresses English`s Importance
https://www.donga.com/en/article/all/20090204/261282/1/J
apanese-Nobel-Laureate-Stresses-English-s-Importance
15)
https://www.nobelprize.org/prizes/physics/2008/maskawa/l
ecture/

니다. 이유는 차차 밝혀집니다.) 저 역시 대학교에서 영어를 가르치는 교수임에도 말은 매우 서툰 분들을 여러 명 직접 본 적도 있습니다.

공부만을 할 경우, 정말 많이 한 사람과 그렇지 않은 사람 사이에는 고급 단어와 복잡하고 정확한 구조의 문장으로 콩글리시를 말하느냐 기초 단어와 단순하거나 부정확한 구조의 문장으로 콩글리시를 말하느냐의 차이만 있을 뿐입니다. 흔히 이 결말을 학습법으로 바꿀 수 있다고 믿는 경향이 있습니다만 이역시 사실이 아닙니다. 왜냐면 학습법이란 결국 지금 내내 이야기하고 있는 공부를 양적으로 혹은 그게 아니라면 질적으로 증폭시키려는 시도에 불과하기 때문입니다. 그래 봐야 같은 공부라는 말입니다.

2.2. 학습법도 길이 아니다

학습법이 본질적으로는 왜 '눈 가리고 아웅'에 불과한지를 대중적으로 여전히 큰 인기를 끌고 있는 '드라마·영화 학습법'을 예로 들어 좀 더 구체적으로 살펴보겠습니다. 많은 분들이 이 학습법을 이용하면 영어 말문을 열 수 있으리라 기대하시는 듯합니다만 언뜻 그럴듯해 보이는 이 학습법이 실은 우리가 지금까지 해 오던 청취 공부, 독해 공부의 반복에 불과하다는 것을 아는 분들은 그리 많지 않습니다. 그러나 사실입니다. 왜냐면 드라마·영화 학습법에서는 재료로 쓰이는 문장들이 서술체, 문어체가 아니라 대화체, 구어체일 뿐, 여전히 듣고 읽는 전통적 학습이라는 점에서는 이전의 공부와 달라진 것이 없기 때문입니다.

물론 대화체, 구어체 위주로 공부하면서 듣기도 많이 하게 되면 서술체, 문어체 위주로 공부하면서 많이 듣지 않을 때에 비해서는 영어로 말하는 것에 어느 정도 도움이 되기는 할 것입니다. 그러나 대화체, 구어체를 공부하고 많이 듣는다고 영어로 말하게 된다면 이전 세대에서 서술체, 문어체를 공부하면서 많이 읽었던 사람들은 모두 영어로 술술 글을 쓸 수 있었어야 합니다. 하지만 그렇게 된 사람은 아무도 없었죠. 역시 말하거나 쓰는 능력은 공부를 열심히 한다고 생기는 것이 아니기 때문입니다. 초기의 인기몰이와 달리 시간이 흐르면서 요즘은 드라마·영화 학습법으로도 성공했다는 사람보다는 실패했다는 사람이 압도적으로 더 많아진 데에는 다 이런 이유가 있어서입니다.

지금까지 드라마·영화 학습법에 관해 말씀드렸습니다만 그것은 드라마·영화 학습법이 유독 문제가 많아서가 아닙니다. 지면 관계상 대표로 다루게 된 것일 뿐이며 오히려 다른 대중적 학습법들에 비하면 드라마·영화 학습법은 학습법으로서 뛰어난 편입니다. 역사적으로 등장했던 다른 대중적 학습법들을 보면 두뇌 훈련을 어려워하는 대중의 취향에 영합해 언어는 두뇌가 아니라 몸이 기억하는 것이라는 둥, 따라서 귀 훈련, 입 훈련만 열심히 하면 영어가 된다는 둥의 황당무계한 주장을 하는 경우가 많았습니다. 검증을 거쳐야 하는 외국어 습득학 교과서에 대중적 학습법들은 단 하나도 이름을 올리지 못하는 것이 괜히 그런 것이 아닙니다. 그런데 대중적 학습법들이 정말 이렇게 무력하다면 특정 학습법 덕분에 말문이 터졌다는 경험담들은 왜 나오는 걸까요?

언어학자이자 언어 학습·교수의 권위자이며 현재 가장 각광받는 언어 습득 이론 중 하나인 의사소통 교수법(communicative approach)의 태동에 기여하기도 했던 얼

스테빅(Earl W. Stevick, 1923~2013)은 여러 언어를 능란하게 구사하는 젊은 언어 천재 일곱 명을 인터뷰해서 그들의 학습법을 조사한 적이 있었습니다. 그들이 사용하는 외국어 학습법이라면 가장 효율적인 방법일 수 있다는 가정 하에 그 구체적 내용을 알아내기 위해서였죠. 하지만 인터뷰를 마친 뒤 그가 내린 결론은 '이런 인터뷰에서 듣게 되는 증언은 이 사람들이 실제로 한 일이 아니라 했다고 스스로 생각하는 것일 뿐'16)이었습니다.

사람들은 자기도 모르는 사이에 특정 학습법과 병행한 어떤 활동 덕분에 말문이 터졌음에도 자신이 꽂힌 그 특정 학습법 덕분에 말할 수 있게 된 것이라고 믿었던 겁니다. 확증편향(confirmation bias)이죠. 성공하고 싶으면 성공한 사람들을 따라 하라는 말이 있긴 하지만 잘하는 사람이 잘 가르치는 사람이라는 보장은 없다는 말 역시 많이들 들어보셨을 겁니다. 성공(한 외국어 학습)자의 말이라고 덜컥 믿어서는 안 되는 이유입니다.

공부도 길이 아니고 학습법도 길이 아니라면 도대체 단기에 언어 천재도 아닌 보통 사람들의 외국어 말문을 터지게 해 주는 길의 정체는 무엇일까요? 즉 사람들이 자기도 모르는 사이에 수행했던 그 어떤 활동은 과연 무엇일까요? 왜 그 활동은 성공한 학습자들에게 거듭 물어도 알아내기 어려울까요? 언어 습득이 본질적으로는 인간이 행하는 학습의 결과가 아니라 인간 존재 사이의 상호 작용17)에 의해 일어나는 자연 현상이기

---

16) "In interviews of this kind we hear not what people actually did, but only what they thought they did." Earl W. Stevick, *Success with Foreign Languages: Seven Who Achieved it and What Worked for Them* (Prentice Hall, 1989) p.xii

때문입니다.

2.3. 언어 습득은 자연 현상

가령 '노력만으로는 넘을 수 없는 선이 있다고들 하더라.'[18] 라는 메시지(너무 학술적이지도, '배 고파', '너 예뻐'처럼 너무 단순하지도 않으면서 적절한 일상적 교양 수준을 담고 있어서 적당합니다.)를 영어로 말해야 하는 상황을 생각해 봅시다. 이 때 공부를 많이 하지 않은 사람은 이를테면 Effort ... umm ... cross ... umm ... no ... line ...처럼 말한다고 합시다. 물론 이것은 예시이므로 이보다 못할 수도 있고 잘할 수도 있 겠으나 어떤 수준을 가정하더라도 우리의 결론은 달라지지 않 으므로 아무래도 상관없습니다.

이 사람이 세월이 흘러 공부를 많이 한 뒤라면 어떻게 될까 요? 초창기의 실력에서 전혀 발전하지 못하는 경우와 완벽한 영어를 말하는 수준으로 발전하는 경우를 양 극단으로 하여 (그 사람의 언어 습득 능력 등 여러 요인에 따라) 그 사이의 모든 위치 중 어느 하나에 있을 것입니다. 하지만 양 극단에 위치할 가능성은 매우 낮을 것입니다. 완벽한 영어의 위치에 있기 힘들다는 것은 앞서 마스카와 도시히데를 비롯한 수많은

---

17) 물론 이 상호 작용은 애정과 신뢰를 기반으로 하는 바람직한 상 호 작용을 뜻하지 학대와 같은 비바람직한 상호 작용을 뜻하지는 않습니다.
18) I am a boy나 I'm just looking around처럼 그게 문법 설명 용 영문이든 생활 영어 영문이든 책을 통해서 쉽게 접할 수 있고 그래서 공부하기만 하면 누구나 말할 수 있는 정형화된 문장들과 는 다르게 어디에선가 접하고 공부할 가능성이 현저히 적어서 정 말 영어로 말하는 능력이 없으면 올바른 영문을 술술 입 밖으로 내기가 쉽지 않은 문장의 경우입니다.

어르신 세대 영어 고수들의 사례, 그리고 우리 자신의 직접 경험에서 이미 거듭 확인하신 바와 같습니다. 또 아무리 말하기가 공부로 해결되는 일이 아니라지만 전혀 발전하지 못한다는 것도 말이 안 되겠죠.

그래서 이 사람이 예컨대 They say ... umm ... there's a line ... effort alone can't cross.라는 문장을 말하는 수준에 이르렀다고 합시다. 보시다시피 '노력만으로는 넘을 수 없는 선이 있다고들 하더라.'라는 우리말이 거의 그대로 깔끔하게 옮겨졌습니다. 언뜻 보기에는 완벽한 영문처럼 느껴질 정도로 초창기에 비해서는 엄청나게 실력이 발전했음을 가정한 경우입니다만 아쉽게도 여전히 콩글리시입니다. 문장이 아무리 멀쩡해 보여도 영어로는 뜻을 제대로 전달하지 못하고 있기 때문입니다. 공부를 많이 한 사람은 그럴듯한 문장의 콩글리시를 말한다는 바로 그 예시인데 빈틈없어 '보이는' 문장을 입 밖으로 내놓을 수 있게 되었지만 그게 영어적으로 말이 되는지 안 되는지 혹은 뜻을 제대로 전달하고 있는지 아닌지 확신할 방법이 없는 것[19], 바로 이게 공부로서의 언어 학습의 한계입니다. 반면에 공부로서가 아니라 (인간 존재 사이의 상호 작용에 의해 일어나는) 자연 현상으로서의 언어 습득이라면 어떤 일이 벌어질까요?

다시 초창기의 우리들에게로 돌아가면 이번에는 다음과 같은 일이 일어나게 됩니다. 역시 공부를 시작한지 얼마 되지 않았

---

19) 공부를 꾸준히 하면 콩글리시가 차츰 올바른 영어로 자동 교정된다는 말이 있는데 반의 반의 반의 반만 맞는 말입니다. 공부만으로 콩글리시가 올바른 영어로 자동 교정된다는 말은 애초에 공부만 해도 올바른 영어로 말할 수 있게 된다는 말과 같은데 그렇지 않기 때문입니다. 그래서 자동 교정되는 일은 혹시 일어난다 해도 탁월한 언어 감수성을 갖춘 극소수에게나 일어나는 일일 뿐입니다.

기에 더듬거리며 umm … effort … umm … cross … umm … no … line.이라고 말할 때입니다. 학습이 아니라 '인간 존재 사이의 상호 작용에 의한 (자연 현상으로서의) 언어 습득'이므로 우리는 또 하나의 인간 존재가 우리 곁에 있다고 가정하지 않으면 안 됩니다. 배우려는 언어는 영어이므로 당연히 영어 원어민입니다. 그럼 언어 습득과 관련하여 그 원어민의 역할은 자명해집니다. 바로 우리의 콩글리시를 They say efforts have their limits.라거나 혹은 It is said that effort alone isn't enough.[20]라고 올바른 영어로 바로잡아

---

20) 이 두 문장에 비해 처음 문장, 즉 They say there's a line effort alone can't cross.는 a line이라 했으므로 수많은 다른 line들의 존재가 기정사실화되면서 문장의 의미가 모호해지고 심지어 혼란스러워집니다. 가령 a line이 난도의 line인지 다른 무엇의 line인지를 저 문장만으로는 알 도리가 없습니다. 난도의 line이라고 해도 처음의 line보다 뒤에 있는, 즉 더 어려운 난도의 line임에도 노력만으로 넘을 수 있는 line일 수 있다고 해석할 여지조차 있습니다. 물론 이 문제는 a line을 a borderline으로 해석하면 여차저차 넘어갈 수 있겠으나 영역에 따라 어떤 영역은 노력만으로 되고 어떤 영역은 노력만으로 안 된다는 뉘앙스일 수도 있는 가능성은 여전히 넘지 못합니다. 이 모든 혼란은 line이라는 불필요한 명사가 들어가는 바람에 문장의 의미를 명확히 하려면 line이 무슨 line인지, 이 line을 넘는다는 것이 다른 수많은 line들에 어떤 영향을 미치는지, 또는 다른 수많은 영역들에도 어떠한 영향을 미치는지 등에 대한 내용이 추가되거나 암시되지 않으면 안 되는 데에서 발생합니다. 그게 없으니 혼란스러워질 수밖에 없습니다. 관사가 없고 수 개념이 없는 명사가 많은 한국어에서는 발생하지 않을 문제들이 영어에서는 발생하는 것입니다. 대충 이해하려면 할 수도 있겠으나 결코 영어식으로 좋은 문장이라고 할 수는 없는 셈입니다. 일부러 모호한 언어를 의도한 경우, 가령 시에서라면 좋은 문장일 수 있습니다. 당연히 a line을 무조건 쓰면 안 되는 것은 아닙니다. 참고로 a line이라고 해도 오해의 여지가 없는 문장을 만들 수 있는데 가령 There's a fine line between love and hate.가 그 좋은 예입니다. 이때 fine의 의미는 '좋은'

주는 겁니다. 이제 우리는 스스로는 멀쩡해 '보일 뿐'인 문장마 저도 입 밖으로 내놓을 능력이 안 되는 초창기 시절임에도 앞서 10년, 20년 공부한 실력으로도 얻지 못하던 완벽한 영문을 이렇게 순식간에 얻게 되었습니다.

당연히 이 원어민은 한 번만 이러고 사라지는 게 아닙니다. 부모가 아기에게 하듯 하루 24시간 내내 우리 곁에 붙어 앉아 (1) 계속 우리와 영어로 대화를 나누고 (2) 우리가 잘못 말할 때마다 매번 저렇게 고쳐 줍니다. 이렇게 1년이고 2년이고 계속합니다. 이런 일이 우리의 I am Tom. Is this a pencil? 시절부터 지속해서 벌어진다고 상상해 보십시오. 영어로 술술 말하는 능력이 생길까요, 생기지 않을까요? 반드시 생깁니다. 생기지 않기가 오히려 불가능합니다. 그러기까지 10년 혹은 20년이 걸릴까요? 아닙니다. 아무리 오래 걸려도 2~3년을 넘지 않습니다. 왜냐면 학습 능력에서 성인은 아기를 압도하는데 아기가 평균적으로 4년 밖에 걸리지 않기 때문입니다. 굳이 영어 공부라는 것을 할 필요도 없습니다. 아기도 이와 똑같은 과정을 거치면서 아무 공부 없이 언어를 심지어 '마스터'하니까요. 이것이 바로 '인간 존재 사이에서 일어나는 자연 현상'으로서의 언어 습득 과정이며 가장 자연스럽고 가장 효율적인 언어 습득 방식입니다.

비교해 봅시다. 공부를 통한 언어 습득의 경우, 말하기에 있어서 최종 결과는 They say there's a line effort alone can't cross.가 최선이었습니다. 그리고 설령 우리가 공부만으로도 완벽히 성공할 수 있는 극소수의 사람이라고 해도 마침내

이 아니라 '미세한, 얇은'으로 thin으로 바꿔 써도 좋습니다. 앞에서와 달리 love and hate로 영역과 그 영역의 성격까지 다 정해지니 문제가 발생하지 않음을 확인하실 수 있습니다.

They say efforts have their limits.나 It is said that effort alone isn't enough.와 같은 영문을 얻게 되는 것은 10년, 20년 혹은 그 이상 각고의 시간과 노력을 퍼부은 뒤였습니다. 그런데 인간 존재 사이의 현상을 통한 언어 습득의 경우는 10년은 고사하고 umm ... effort ... umm ... cross ... umm ... no ... line.이라고 말한 지 몇 초도 채 지나지 않아 곧장 They say efforts have their limits.나 It is said that effort alone isn't enough.라는 정확한 영문을 얻었습니다. 그리고 이 과정이 계속 반복되기에 10년, 20년이 아니라 불과 2~3년만 지나면, 또 극소수가 아니라 원하는 누구라도 올바른 영어로 술술 말하는 경지에 반드시 이르게 됩니다. 어떻게 따져 봐도 인간 존재 사이의 현상으로서의 언어 습득의 완승입니다.

그렇습니다. 저는 원어민으로 인해 구현되는 이것을 '언어 습득 환경'이라고 부르는데요. 이 '환경' 속으로 들어갈 수만 있다면 영어 공부를 얼마나 열심히 하느냐, 학습 능력이 얼마나 뛰어나느냐, 어떤 학습법을 쓰느냐 등과는 아무 상관없이 '누구나' '반드시' 영어로 말할 수 있게 됩니다. 아이들이 전혀 공부하지 않고도 모국어로 말하게 되는 것, 또는 앞서 동영상 플랫폼에 등장한 성인들이 외국어 천재도 아니면서 2~3년 만에 외국어로 술술 말하게 된 것도 알고 보면 자기도 모르는 사이에 다 이 언어 습득 환경 속으로 들어갔기 때문입니다. 물론 성인의 경우 각자가 노출된 언어 습득 환경의 현실 형태는 사람에 따라 천차만별이어서 본인은 그게 언어 습득 환경인 줄도 모르는 게 일반적입니다만 그 형태야 어떻든 원리만큼은 제가 방금 설명해 드린 것 그대로입니다. 즉 인간 존재 사이의 상호 작용에 의해 일어나는 자연 현상으로서의 언어 습득입니다.

언어 습득이 자연 현상이라는 것은 알고 보면 불변의 진리인데 그 이유는 이것이 인간들에게만 국한되어 나타나는 현상이 아니라 모든 생명체에 공통으로 나타나는 현상이기 때문입니다. 인간 언어도, 비록 질적으로는 아무리 탁월하더라도, 결국은 의사소통 수단의 하나입니다. 그런데 자연에 존재하는 모든 생명체는 동물이든 식물이든 같은 종끼리는 '나름의 수준'에서 의사소통을 합니다. 그리고 그 어떤 생명체도 그 의사소통 능력을 공부나 노력을 통해서 얻지 않습니다. 유전적으로 그냥 타고나거나 살다 보면 각 생명 존재들 사이의 상호 작용에 의한 자연 현상으로서 그냥 저절로 생겨나거나 둘 중 하나입니다.

종족 번식이 가능하려면 같은 종끼리는 의사소통 능력이 반드시 있어야 합니다. 즉 모든 개체가 반드시 의사소통 능력을 갖춰야 합니다. 공부로는 모든 개체를 이렇게 만들기가 불가능합니다. 그런데 존재 사이의 상호 작용으로는 가능합니다. 왜냐면 이 상호 작용은 존재들이 있는 한 반드시 일어나기 때문입니다. 그러므로 의사소통 능력의 습득이 이 상호 작용의 결과임을 전제하는 순간 그 능력은 모든 개체가 예외 없이 반드시 얻게 됩니다. 존재 사이의 상호 작용에 의한 자연 현상이 모든 의사소통 능력 습득의 철칙일 수밖에 없는 이유입니다.

많은 분들이 모국어 습득과 외국어 습득은 다르기에 저런 철칙은 모국어 습득에만 적용되는 게 아니냐고 의심하십니다만 편견입니다. 차차 보시게 되겠지만 외국어를 습득할 때는 모국어 습득에는 없는 여러 방해 요인들이 있습니다. 아이 때는 상호 작용만 제대로 일어나면 그대로 언어 습득이 이뤄집니다만 성인 때는 그렇지 않은 이유인데 이 때문에 모국어 습득과 외국어 습득은 다르다는 편견들이 생겨나게 된 것입니다. 물론 아이와 성인이 다른 것처럼 모국어 습득과 외국어 습득도 서로 100% 같지는 않고 다른 면이 당연히 있습니다. 방금 말씀드린 방해 요인들의 존재만 해도 외국어 습득이 모국어 습득과 다른 면의 하나입니다. 하지만 도로의 일부에 바리케이드가 세워졌다고 그 도로가 도로가 아닌 게 되지는 않겠죠. 따라서 우리의 외국어 습득도 이 자연 철칙에 따르는 게 가장 효율적이고 자연스러울 수밖에 없습니다.

3. 원어민의 배신

　언어 습득 환경의 존재를 인정하고 받아들이더라도 문제는 한국에 사는 평범한 한국인인 우리가 외국어인 영어와 관련하여 어떻게 그런 환경 속으로 들어갈 수 있느냐는 겁니다. 일단 영어 습득 환경이라면 거의 모든 사람이 외국에 나가서 영어 원어민들과 어울리는 환경을 떠올리지 이곳 한국에서 한국인들과 어울리는 환경을 떠올리지는 않습니다. 우리의 정의에서도 '인간 존재 사이의 상호 작용 ...'이므로 인간 존재, 즉 영어 원어민들이 살고 있는 해외 환경이 언어 습득 환경으로 가장 적절해 보입니다. 그러나 모두 이미 잘 아시는 것처럼 성인은 아이와 다릅니다. 아무리 해외에 나가서 살아도 상당수가 여전히 해당 언어로 말하는 능력을 온전히 얻지는 못합니다. 얻는 사람은 얻습니다만 얻지 못하는 사람은 수십 년이 흘러도 얻지 못합니다.

　언어 습득은 환경의 문제여서 그 철칙을 준수할 경우 원하는 모두가 습득에 성공할 수 있다면서 어째서 이런 일이 벌어질까요? 지금까지 제가 증명해 온 게 사실은 틀렸고 언어 습득이 환경의 문제가 아니어서일까요? 그렇지 않습니다. 언어 습득이 환경의 문제임은 자연 법칙이어서 틀릴 수가 없습니다. 사람들이 실패하는 이유는 따로 있습니다. 바로 원어민들과 함께 사는 것은 '원어민 환경'이기는 해도 반드시 '언어 습득 환경'까지 되는 것은 아니어서입니다. 둘은 다릅니다. 아이의 경우 원어민 환경은 곧 언어 습득 환경이 됩니다. 하지만 숱한 방해 요인들이 존재하는 성인은 그렇지 않습니다. 바로 이 차이 때문에 성인은 아이와 달리 원어민들과 어울려 살아도 무조건 해당 언어의 습득에 성공하지는 못하는 겁니다.

물론 성인도 해외로 나가 언어 환경을 원어민 환경으로 바꾸면 분명 도움이 됩니다. 대체적으로 해외파가 국내파에 비해서는 말하는 능력이 월등히 더 뛰어난 것도 그래서입니다. 일단 해외에서는 곁에 원어민'들'이 생길 가능성부터가 압도적으로 더 높습니다. 그러나 아무리 외국에 가서 오래 살아도 원어민 친구가 생기거나 운이 좋으면 원어민 애인 혹은 배우자가 생기는 정도의 일이 일어나기는 해도 저렇게 1년 365일 내 옆에 찰싹 들러붙어 매번 고쳐 주는 사람이 생기는 일은 일어나지 않습니다. 왜냐면 그들도 친구든 애인이든 결국은 말이 통하는 사람을 원하는 것이지 말을 고쳐 줄 사람을 원하는 것은 아니기 때문입니다. 우리가 구사하는 영어를 알아들을 수 없으면 우리와 대화를 나누는 것에 관심이 없고, 알아들을 수 있으면 이번에는 우리의 영어를 고쳐주는 것에 관심이 없다는 뜻입니다. 고쳐주는 것에 관심이 있는 친구나 애인이 있을 수도 있지 않느냐고요?

만약 영어를 서툴게나마 어느 정도 말할 수 있어서 친구나 애인을 사귀는 데 성공하고 그 친구나 애인에게 교정을 부탁하여 그들이 그 부탁을 들어준다고 합시다. 그럼 교정 문제가 해결되면서 언어 습득 환경 속으로 들어가게 될까요? 아닙니다. 다음과 같은 일이 필연적으로 일어나는 까닭입니다. "우리는 틀린 영어를 하도 자주 듣다 보니 귀가 알아서 자동으로 교정해 버립니다. 두뇌에는 그렇게 교정된 문장이 들어오지요."[21]

21) Kato Lomb, *Polyglot: How I learn Languages*, 4th ed.,

역사상 최초의 동시 통역사 중 하나이자 16개 언어를 구사했던 것으로 유명한 카토 롬브(Kato Lomb, 1909~2003)의 일화인데 그녀가 실제로 교정을 부탁한 영국인 친구가 하도 교정해 주지 않아서 왜 안 고쳐 주냐고 따졌더니 돌아왔다는 대답입니다. 물론 귀찮아서 대충 저렇게 대답한 것일 수도 있지만 정말 고쳐 줄 마음을 먹었다고 해도 교정 전문가로 훈련되고 그만한 대가를 지불 받지 못하는 사람은 실제로 거의 100% 저렇게 됩니다. 왜냐면 우리가 어떤 말투에 익숙해지듯 우리의 교정 부탁을 받은 원어민 친구나 애인도 틀리지만 어쨌든 알아들을 수는 있는 우리의 영어에 곧 익숙해져버리기 때문입니다.

모든 생물이 힘든 일을 싫어하듯 인간의 두뇌도 힘든 일은 싫어합니다. 그런데 교정을 제대로 하는 것은 정신적으로 상당한 중노동입니다. 따라서 친구나 애인의 두뇌 역시 힘든 중노동 대신 익숙해지는 쪽을 자발적으로 택하게 되며 그 결과 조만간 그들은 우리가 틀린 영어를 구사한다는 사실 자체를 인식하지 못하게 되는 겁니다.

이런 일이 일어날 수밖에 없는 또 다른 이유는 이것이 같은 영어 원어민들 사이에서도 일상이기 때문입니다. 가령 영국은 잉글랜드(England), 스코틀랜드(Scotland), 웨일즈(Wales), 북아일랜드(Northern Ireland)로 이뤄져 있는데 현지인들의 증언[22]을 보면 같은 잉글랜드에서도 중부 사람이 북동부 뉴캐슬(Newcastle) 친구와 대화할 때는 80% 정도밖에 알아듣지 못합니다. 나머지 20%는 추측합니다. 증언에 따르면 이런 발음

---

translated in English by Adam Szegi and Kornellia Dekorne, edited by Scott Alkire, p.156 (TESL-EJ, 2008) 물론 실제로 자동으로 교정하는 것은 귀가 아니라 두뇌입니다.
22)
http://forum.wordreference.com/showthread.php?t=308852)

이 잉글랜드 내에서만 4~5개나 됩니다. 한국으로 치면 같은 경상도 지역 내에서도 서로 온전히는 못 알아듣는 발음이 4~5개나 되는 셈입니다. 요즘은 세대 간 언어 격차 때문에 한집에서 사는 부모자식 간에도 똑같은 일이 벌어지는 지경이라 좀 못 알아듣더라도 익숙해지는 것은 일상이 된 지 오래입니다.

애인과 교정자는 다릅니다. 오히려 해외에 나가지 않고 한국에만 있어도 돈이 충분하다면 저렇게 고쳐 줄 훈련된 원어민 전문가를 고용하여 곁에 둘 수 있습니다. 그러면 우리의 영어 말하기 능력 습득은 적어도 절반은 보장된 것이나 다름없습니다. 즉 현재까지 관건은 외국에 나가느냐 여부가 아니라 돈입니다. 저런 환경의 구현은 하루 24시간 본인 한 사람만을 전담하는 영어 원어민 교정 전문가를 갖추느냐 마느냐의 문제이고 이는 상당한 급료를 주고 그 전문가를 고용해야만 가능한 일인 까닭입니다. 바꿔 말하면 우리 모두에게는 그림의 떡이라는 말입니다. 그런데 믿기 어려우실지 모르겠지만 저는 외국에 나가지 않고 원어민도 없이 혼자 방구석에서 저 영어 습득 환경을 구현하는 데 성공했습니다.

저는 독해는 제법 했지만 스피킹은 I am Tom. Is this a pencil? 수준이었던 전형적인 한국인 영어 학습자였습니다. 영어 공부에 박차를 가할수록 독해 실력은 분명히 늘었으나 말하는 능력은 사실상 제자리걸음이었죠. 그런데 우여곡절 끝에 저 환경을 구현하는 데 성공한 뒤에는 불과 6개월여 만에 '노력만으로는 넘지 못할 선이 있다고들 하더라.' 정도의 문장은 말할 것도 없고 영어 원어민과 영어로 토론이 되고 한국어 뉴스를 들으면 그 내용이 술술 영어로도 나오는 등 제가 말하고자 하는 바를 그 어떤 상황에서도 영어로 거침없이 말할 수 있는 수준에 도달할 수 있었습니다. 10년, 20년을 넘게 공부해도 안 되던 영어 말하기 문제, 외국에 언어 연수나 유학을 가도 된다는 보장이 없던 그 영어 말하기 문제가 언어 습득 환경이 어떤 요인들로 이뤄지는지 알아내어 그 요인들을 구현하는 데에 성공하자 불과 6개월여 만에, 그것도 나 홀로 방구석에서 해결된 것입니다.

분명한 것은 제가 독해 실력이 나름 괜찮았기에 저 환경 속에서 성공할 수 있었던 것은 아니라는 점입니다. 여태 사람들 사이에 자리 잡고 있는 흔한 편견과 달리 독해 실력과 영어로 말하는 실력이 그다지 비례하지 않음은 이미 앞에서 확인하신 바와 같습니다. 현재 독해 실력이 뛰어나서 읽고 이해할 수 있는 분야가 많다면 그것은 해당 분야의 어휘며 개념, 지식을 알고 있다는 의미이므로 일단 말문이 터진 이후에 얼마나 더 많은 전문 분야에서 말할 수 있느냐, 혹은 같은 말이라도 얼마나 더 전문적으로 할 수 있느냐에 도움이 될 수는 있어도 애초에 우리의 말문이 터지느냐 마느냐 자체를 결정하는 관건은 아니라는 말씀입니다. They say efforts have their limits.나 It is said that effort alone isn't enough.를 말하는 데 그 어디에도 비범한 독해력, 어휘력, 문장력이 필요하지는 않은 것처럼요.

따라서 제가 언어 습득 환경 속으로 들어간 지 6달 만에 저렇게 발전할 수 있었다면 누구나 같은 환경 속으로 들어가기만 하면 영어 토론이나 뉴스 통역까지는 아니더라도 적어도 '노력만으로는 넘지 못할 선이 있다고들 하더라.' 정도의 일상 영어를 말하는 수준까지 발전하는 것은 현재의 영어 실력과 무관하게 얼마든지 가능하다는 말이 됩니다.

우리는 흔히 영어 원어민의 언어 능력을 우리와는 비교도 안되는 구름 위의 단계인 것처럼 여기는 경향이 있는데 아닙니다. 사실을 말씀드리자면 어떤 언어든 그 원어민들의 '평균적인' 모국어 능력은 일상어를 술술 말하는 수준이거나 그 아래이지 이상이 아닙니다. 제가 멋대로 드리는 말씀이 아닙니다. 커뮤니케이션 전문가인 로이 베르코(Roy Berko), 앤드류 울빈(Andrew Wolvin), 달린 울빈(Darlyin Wolvin)이 세계적으로 가장 잘 팔리는 커뮤니케이션 교과서 중 하나인 그들의 책 '언어 커뮤니케이션'에서 한 말입니다. 그들은 '미국 젊은이의 20% 정도가 가장 간단한 기본적인 의사소통 업무를 수행하지 못하고 거의 63%가 다른 사람에게 말로 정확한 방향을 일러 줄 수 없다'[23]고 밝히고 있습니다. 미국 원어민들의 실상이 이러하므로 우리도 비록 영어로 토론까지는 아니더라도 '노력만으로는 넘지 못할 선이 있다고들 하더라.' 정도를 술술 말할 수만 있다면 사실상 영어 말문이 완전히 트였다고 봐도 무방할 것입니다.

이제 관건은 어떻게 해야 언어 습득 환경을 혼자 방구석에서 구현할 수 있느냐입니다. 원리와 방법만 알면 현재 영어 실력과 무관하게 여러분도 누구나 제가 꾸민 것과 똑같은 영어 습득 환경을 방구석에서 혼자 어렵지 않게 만들어낼 수 있습니다. 그래서 노는 대신 스스로 그 안으로 들어갈 정도의 노력만 하신다면 더는 10년, 20년 목숨 걸고 애써 공부하지 않아도, 혹은 비싼 학원에 다니지 않아도, 혹은 많은 돈을 들여 외국에 나가지 않아도 2~3년 안에는 반드시 영어로 말하고자 하는 내용은 뭐든 술술 말할 수 있게 됩니다. 그럼 지금부터 그 구체적인 요건들과 그 요건들을 방구석에서 실현하는 방법, 그 와

---

23) Roy M. Berko, Andrew D. Wolvin, Darlyn R. Wolvin, '언어 커뮤니케이션(Communicating: A Social and Career Focus)' p.4 (한국문화사, 2003)

중에 주의해야 할 점 등등을 차례대로 차근차근 살펴보겠습니다.

4. 언어 습득 환경의 4요건

텅 빈 내 방구석을 언어 습득 환경으로 바꿀 수 있는 요건들은 무엇일까요? 그 요건들을 알아내기 위해 굳이 큰돈을 들여 원어민 환경 속으로 들어가 이런저런 시행착오를 겪을 필요는 없습니다. 다시 말씀드리지만 지금은 정보의 시대이니까요. 그보다는 어느 딸과 아빠가 함께 그림을 보며 나누는 다음 대화를 한 번 유심히 보면서 분석해 보는 편이 더 낫습니다. 이 대화와 그 뒤에 나오는 또 하나의 대화는 사실상 이 책 전체를 통틀어 가장 중요한 부분이기도 하므로 유심히 살펴보시기 바랍니다.

Daughter: (at the sight of a picture asked) What's that?
Father: It's a cowshed.
Daughter: Why?
Father: It's a house for cows.
Daughter: Why?
Father: Because there are cows in it, there, do you see?
Daughter: Why art they cows?
Father: Don't you see? They've got horns.
Daughter: Why have they horns? ... [24]

---

24) 딸: (그림을 보며 묻는다.) 이게 뭐야? / 아빠: 외양간. / 딸: 왜?
／ 아빠: 소들이 사는 집이니까. / 딸: 왜? / 아빠: 왜냐하면 집 안

이 대화는 'Why have they horns?'라는 딸의 마지막 질문으로 끝난 것이 아닙니다. 이런 식으로 한참이나 더 이어졌습니다. 어린이에 관한 공부를 조금이라도 한 분은 누구라도 그 명성을 들어 보셨을 장 피아제(Jean Piaget, 1896~1980)가 자기 딸과 나눈 대화를 기록한 것입니다. 아이가 끊임없이 질문을 퍼붓는 것이 거의 편집증(?)적인데 그것을 또 아빠는 잘 받아줍니다. 성인들 사이에서는 절대 찾아볼 수 없는 대화 진행 방식입니다. 그리고 바로 여기에 원어민 환경이 아이에게는 곧 언어 습득 환경이 되지만 성인에게는 되지 않는 가장 중요한 비밀이 숨어 있습니다.

아이는 어째서 계속 똑같이 '왜?'라는 질문을 던질까요? 괜히 심술을 부리는 걸까요? 물론 아이는 종종 심술을 부립니다만 피아제가 딸을 관찰하여 연구한 것이 하루 이틀도 아니니 이 경우는 당연히 아닙니다. 그럼 외양간이며 소에 관한 존재론적 관심에서 그러는 걸까요? 그럴 가능성이 아예 없지는 않겠습니다만 역시 아닙니다. 피아제도 말했듯 그보다는 그저 말 연습, 즉 문장 생성 연습을 하고 싶은데 아빠가 잘 받아주니까 하고 싶은 것을 지속하는 것에 더 가깝습니다.[25] 모든 아이는

에 소들이 있으니까. 보여? / 딸: 쟤네들이 왜 소야? / 아빠: 안 보여? 뿔이 달렸잖아. / 딸: 쟤네들은 왜 뿔이 달렸어? ... Jean Piaget, '*Play, dreams and imitation in childhood*', p.118 (William Heinemann Ltd, 1951)

[25] Jean Piaget, ibid, p.118 / Peter Gray Ph.D., Psychology Today, 2008, *The Varieties of Play Match Requirements of Human Existence* https://www.psychologytoday.com/us/blog/freedom-learn/200810/the-varieties-play-match-requirements-human-existence The daughter here was almost certainly not asking questions to get information; rather, she was playfully exercising her newfound capacity to ask questions and

말 연습, 문장 생성 연습을 '하고 싶어 한다'는 점에 유의하세요. 성인에게서는 거의 찾아보기 어려운 특징이니까요.

아이가 문장 생성 연습을 하고 싶어 한다는 것을 확신할 수 있는 이유는 이와 비슷하지만 다른 형식의 말놀이가 어린이들 사이에서 광범위하고 다양하게 관찰되기 때문입니다. (이에 대해서는 '8.5. 아이와 성인의 언어 끌림'에서 다시 자세히 다룹니다.) 더욱이 존재론적 관심에서 나온 질문이라면 그 질문이 '외양간'이면 외양간 하나에 집중되어 외양간의 다양한 측면을 아이가 공략해야 하는데 보신 것처럼 대화의 소재는 외양간에서 소로, 다시 쇠뿔로 그저 아빠가 무슨 단어를 대답으로 내놓느냐에 달려 있을 뿐입니다. 말놀이여서 문장 생성 연습 자체가 중요하지 소재나 주제는 중요하지 않기에 벌어지는 일입니다. 즉 거의 편집증적일 정도로 집요[26]하게 계속되는 이 대화에서 아이의 관심이 뒤쫓는 대상은 특정 소재나 주제가 아니라 문장 생성 훈련이며 이는 아이의 문장 생성 욕망이 얼마나 강

---

elicit responses from her father.

26) 피아제의 딸은 지금 자신의 모국어를 사용하는 경우이지만 어떤 모국어가 아직 완전히 두뇌에 뿌리 내리지 못한 상태에서 다른 언어 환경으로 이주한 아이의 경우도 다를 것이 없습니다. 미국으로 이주한 한국 아이를 가정해 보면 아이가 외부와 고립되어 오로지 한국어 부모와만 교류하는 것이 아닌 한, 아이의 두뇌는 이제는 한국어가 아니라 새로운 사회의 주류 언어인 영어를 제 1의 의사소통 수단, 즉 모국어로 삼아야 함을 본능적으로 깨닫게 됩니다. 그래야 생존할 수 있기 때문입니다. 그러면 한국어를 모국어로 습득할 때의 과정이 비슷하게 되풀이되며 아이의 두뇌는 차츰 모국어의 자리에서 한국어를 밀어내고 영어를 앉힙니다. 두뇌 내에서 아직 모국어로서 한국어의 지위가 확고하지 않고 또 모국어를 다른 언어로 교체할 수 있을 만큼 두뇌의 가소성(plasticity 신경망의 형태나 구조 등이 변형 가능한 정도)이 크기에 벌어지는 일입니다.

한지를 잘 보여주는 증거입니다. 그렇다면 성인은 어떨까요?

성인에게 있는 것은 문장 생성 욕망이 아닙니다. 훨씬 먼 목표, 즉 영어로 말하는 능력을 얻고 싶은 욕망이 있을 뿐입니다. 둘은 별개입니다. 성인들은 영어로 말하는 능력은 얻고 싶지만 영문 생성 훈련은 싫어합니다. 재미없고 힘들거든요. 언어 연수차 많은 돈을 들여 외국에까지 나갔지만 수업이 끝나면 같은 한국인들과 주로 어울리는 것도 그래서입니다. 할 수만 있다면 모든 훈련을 건너뛰고 곧바로 영어로 말하는 능력이 생기면 좋겠다는 게 우리 성인들의 솔직한 심정입니다.

그러나 아이는 다릅니다. 말하는 능력 획득이라는 먼 목표는 오히려 없습니다. 그저 당장 지속적으로 문장 생성을 하려는 욕망이 있을 뿐입니다. 다음 대화를 통해 위에서 소개한 대화에서는 잘 드러나지 않은 다른 측면에서 아이의 이 욕망을 더 확인해 보겠습니다. 역시 앞의 대화와 더불어 이 책에서 사실상 가장 중요한 부분이므로 눈여겨보시기 바랍니다.

> Sophie: Why—why do—me—why didn't me get flu ever?
> Mom: I don't know, you didn't get it, did you, that time.
> Sophie: Why didn't me get flu?
> Mom: Because you're so healthy.
> Sophie: Why are me so health—healthy?
> Mom: You're such a fatty.[27]

언어학자 진 스틸웰 페체이(Jean Stilwell Peccei)가 그녀의

---

27) Jean Stilwell Peccei, *Child Language: A Resource book for students*, p.44 (Routledge, 2006) Data adapted from Fletcher, 1985

딸 소피(Sophie)와 나눈 대화를 기록한 것인데 첫 번째 대화에서는 잘 드러나지 않았던 점이 이 두 번째 대화에서는 분명히 드러납니다. 소피가 말을 시작하면서부터 오류를 범하며 이는 대화 내내 지속된다는 것입니다. 이를 통해 알 수 있는 것은 소피가 우리들만큼이나 영문 만들기를 버거워하면서도 포기하지 않고 영문 생성 시도를 계속한다는 점입니다. 소피는 왜 포기하지 않을까요? '나는 기필코 영어로 말하는 능력을 획득하고야 말겠어.'라는 뚜렷한 목적을 가지고 있기에 하기 싫은데도 의지로 이러는 걸까요? 당연히 아닙니다.

소피는 지금 하기 싫은 것을 억지로 참아가며 하는 게 아닙니다. 저 나이의 아이에게는 그 정도의 참을성이 없습니다. 그저 당장 문장 생성을 자꾸 하고 싶은 욕망이 있기에 저절로 그렇게 되는 것입니다. 여기에는 그 어떤 의지도, 노력도 필요하지 않습니다. 그리고 아이와 성인 사이에 나타나는 바로 이 차이가 원어민 환경이 언어 습득 환경이 되느냐 마느냐를 결정하는 요인들 중 가장 중요한 요인입니다.

성공학이나 동기부여론에서는 목표가 뚜렷할수록 성취에 도움이 된다고 가르칩니다만 방금 보신 것처럼 목표와 성취 사이에는 그다지 큰 상관관계가 없습니다. 아이에게는 영어로 말하는 능력 획득이라는 먼 목표 따위는 없습니다. 그저 문장 생성을 하고 싶다는 당장의 욕망이 있을 뿐입니다. 그런데 (1) 당장 하고 싶은 것을 (2) 끊임없이 해대는 아이는 모두가 평균적으로 4년이면 어떤 언어든 반드시 모국어 수준으로 마스터하지만 먼 목표는 있는데 당장의 욕망은 없는 성인은 대다수가 실패합니다. 마치 당장의 '쇠질' 즉 웨이트 트레이닝(weight-training) 자체를 좋아하는 사람들은 모두 반드시 몸짱이 되지만 그저 예쁜 몸, 멋진 몸에 대한 갈망만 있는 사람들은 모두가 몸짱이 되지는 못하는 것과 같습니다.

그렇습니다. 목표보다는 욕망입니다. 목표란 하나의 좌표일 뿐으로 외부에서 누군가 강제로 지정해 주더라도 매우 구체적이고 뚜렷할 수 있습니다. 그러나 그 구체적인 뚜렷함은 거기에 이르는 동력까지 보장해 주지는 않습니다. 오직 욕망이라는 동력과 결합된 상태에서만 뚜렷하고 구체적인 목표는 성취와 상관관계를 가집니다. 따라서 필요한 것은 성취 목표가 아닙니다. 그 목표에 이르는 개별 단계들 각각을 밟고자 하는 우리의 욕망과 그 욕망이 실현 가능해질 수 있는 최소한의 환경입니다. 즉 어떤 언어로 말할 수 있게 되려면 먼 목표가 아니라 문장 생성을 갈구하는 (1) 당장의 욕망이 있어야 하고 (2) 그 욕망을 끊임없이 탐할 수 있는 최소한의 환경이 마련되어야 하는 것입니다. 이제 이 두 요건에다 앞에서 이미 말씀드린 교정을 더하면 드디어 우리는 성인이라면 누구나 성공할 수밖에 없는 언어 습득 환경 요건을 다음과 같이 4개로 정식화할 수 있습니다.

*   *   *

어떤 외국어 학습법 하에서 공부 두뇌가 뛰어나거나 노력 두뇌가 뛰어나거나 돈이 많은 일부의 사람들만이 아니라 정말 누구라도 그 어떤 외국어로든 술술 말할 수 있게 되려면 그 학습법은 거의 아무런 비용 지출 없이 반드시 다음의 4개 요건을 모두 충족해야 합니다. 편의상 '외국어'를 '영어'로 대체해서 말씀드리겠습니다만 이 요건은 모든 외국어 말하기 학습에도 똑같이 적용됨은 물론입니다.

요건 1) 학습자는 영어 문장 생성을 자꾸 시도하고 싶어져야 합니다. 다시 말하면 자꾸 영어로 말하고 싶어져야 합니다. 그런데 의지를 발휘해 그렇게 되도록 노력해야 한다는 뜻이 아닙니다. 굳이 노력하지 않아도 저절로 그렇게 되어야 합니다. 즉 영문 생성 욕망이 본능적으로 일어나야 합니다.

요건 2) 이렇게 영문 생성 욕망이 발생한 학습자는 언제든 어디서든 원하는 만큼 오래 영문 생성을 시도할 수 있어야 합니다. 하고 싶은데도 대화 상대가 없거나 눈치가 보여서 등의 각종 환경적인 이유로 못하는 상황이 벌어져서는 안 된다는 뜻입니다.

요건 3) 앞의 두 요건을 제대로 충족하면, 즉 하고 싶은데 할 수 있는 환경이 마련되면, 학습자의 두뇌는 (학습자가 굳이 노력하지 않아도) 영문을 계속 생성해내게 됩니다. 물론 이때의 영문은 당연히 엉터리투성이입니다. 학습자는 영어로 말하고자 하는 욕망은 있어도 아직 영어로 말할 능력이 생긴 것은 아니기 때문입니다. 따라서 학습자의 두뇌에 생성된 이 엉터리 영문들은 가급적 즉시, 혹은 늦더라도 완전히 잊히기 전에 올바른 영문으로 반드시 교정되어야 합니다.

요건 4) 아무리 교정되었어도 그 후에 다시 죄다 망각해 버리면 아무 소용이 없겠죠. 즉 요건3)에서 일어난 교정은 그 내용이 완전히 잊히기 전에 두뇌에 영원히 자리 잡을 정도의 충분한 강도와 빈도로 반드시 반복되어야 합니다.

*　　　*　　　*

앞의 4요건을 조금만 주의 깊게 읽어 봐도 이 과정을 지속해서 거치는 사람은 누구라도 올바른 영어로 술술 말하는 능력을 얻을 수밖에 없음을 알 수 있습니다. 생각해 보십시오. 우리는 간절히 영어 문장 생성 훈련을 하고자 합니다. 그런데 이런 우리가 때와 장소를 막론하고 원하는 만큼 오랫동안 영어로 문장 생성을 시도할 수 있는 환경이 마련됩니다. 이 두 조건이 충족되면 우리의 입 밖으로는 아무런 노력 없이도 자동으로 수많은 영문이 쏟아져 나오게 됩니다. 그런데 그 문장들이 완벽하고 정확할 필요가 없습니다. 엉터리 콩글리시여도 아무런 문제가 없습니다. 왜냐면 우리가 틀리게 말한 문장들은 그 자리에서 즉시, 혹은 조금 늦더라도 완전히 잊히기 전에 올바른 문장으로 교정되기 때문입니다. 게다가 이렇게 교정되어 일시적으로 우리에게 생긴 영문 생성 능력이 사라지지 않고 두뇌에 영원히 자리할 수 있도록 다시 충분히 자주, 꾸준히 반복됩니다. 이 모든 것이 우리의 방구석에서 돈 한 푼 들이지 않고 매일, 매시간, 매분, 매초 벌어집니다. 이렇게 1년이 흐르고 2년이 흐른다고 상상해 보십시오. 이런 조건 하에서 그 누가 일정 기간 후에 영어로 술술 말하게 되지 않을 수 있겠습니까? 그렇게 되지 않기가 오히려 불가능합니다. 제 방법으로는 남녀노소를 막론하고 누구나 반드시 영어로 술술 말하게 된다고 제가 감히 장담하는 이유입니다.

5. 두뇌의 영어 거부

이제 우리가 해야 할 일은 각자의 방구석을 앞의 4요건이 충족되는 영어 습득 환경으로 만드는 것입니다. 이 일을 제대로 해내기만 한다면 영어로 말하는 능력의 습득은 사실상 보장된 것이나 다름없습니다. 저는 6달 정도 걸렸지만 여러분 중 저보다 두 배 더 많은 시간 혹은 집중력을 투입하는 분들은 아마 3달 이내에도 가능할지 모릅니다. 학생들의 경우에는 잘만하면 방학 기간에 끝장을 볼 수도 있다는 말씀입니다. 문제는 어떻게 혼자서 방구석에 저 환경을 구현하는가입니다.

무작정 구현하려고 들면 첫 번째 요건인 '영문 생성 욕망'부터 턱 막힐 겁니다. 애초에 없는 욕망을 새로 만들어내는 것은 불가능한데 이미 말씀드린 것처럼 우리 성인들은 영어로 술술 말하고 싶다는 욕망은 있어도 당장 영문 생성 훈련을 하고자 하는 욕망은 없기 때문입니다. 영문 생성 훈련 따위는 훌쩍 건너뛰고 별안간 입에서 영어가 술술 나오면 딱 좋겠다는 것이 솔직한 심정입니다.

그런데 여기에서 그치는 것이 아닙니다. 좀 더 엄밀히 말씀드리면 사실은 영어로 술술 말하고 싶다는 우리의 욕망, 더 나아가 영어를 잘하고 싶다는 욕망마저 대부분 가짜입니다. 즉 우리 대다수는 실은 영어를 잘하고 싶은 마음이 별로 없습니다. 바꿔 말하면 우리는 십중팔구 영어 말하기 능력 획득이라는 먼 목표도 없습니다. 현재 있다고 느낀다면 그것은 착각입니다. 왜 그럴까요?

우리의 마음에 생긴 영어를 '잘 하고 싶다'는 욕망은 그저 사회가 '앞으로 살아가려면 영어가 필수'라거나 '영어를 잘 하면 더 좋은 직장에 들어갈 수 있다'거나 '돈도 더 많이 벌 수 있다'거나 또는 '영어 잘 하는 사람은 멋있게 보인다' 등등의 메시지를 반복해서 내보내는 것만으로도 거의 모든 사람의 마음에 생길 수 있습니다. 그 사람에게 진정으로 영어를 잘 하고 싶은 욕망이 사실은 없더라도 말입니다. 즉 정확히 말하자면 없던 욕망이 만들어진 것이 아닙니다. 영어에 관하여 없던 수요가 만들어진 것입니다.

우리가 인위적으로 만들어진 욕망이라고 생각하는 것들이 사실은 욕망이 아니라 이 수요입니다. 심리학에서는 동조효과(conformity effect), 군중심리(mass psychology) 등의 이름으로, 경제학에서는 편승효과(bandwagon effect), 베블런 효과(Veblen Effect) 등의 이름으로 이미 널리 알려진 현상입니다. 없던 욕망을 새로 만들어내기란 사실상 불가능함을 잘 아는 마케팅에서 집중적으로 노리는 것도 바로 이 없던 수요의 창출입니다.

예컨대 유행 제품을 사는 사람들 대다수는 그 제품을 향한 진정한 욕망이 있어서가 아닙니다. 무리 생활을 하는 동물에게 원래부터 있는 모방 욕망에 의해 수요가 생긴 것입니다. 새로운 유행이 나타나면 이전 유행 제품은 아무리 멀쩡하더라도 대부분 잘 사용되지 않고 처박히는 것이 그 증거입니다. 터무니없이 비싼 명품, 사치재가 잘 팔리는 것 역시 해당 제품에 대한 진정한 욕망이 생긴 것이라기보다는 원래부터 있는 과시 욕망에 의해 수요가 생긴 것에 가깝습니다. 주변 사람들이 나보다 더 비싼 명품 가방을 들고 나타나면 내 명품 가방을 슬그머니 감추게 되는 것이 그 증거입니다.

생각해 보면 모국어라는 의사소통 수단을 이미 갖춘 성인의 두뇌가 주변에서 아무도 쓰지 않는 또 하나의 의사소통 수단을 갖고자 '갈망'할 아무런 이유가 없습니다. 그러므로 외국어 습득 욕망이 생겼다기보다는 사회의 반복적 세뇌, 혹은 돈이나 유능한 이미지 등을 얻고자 하는 욕망(물욕, 지배욕)을 기반으로 인위적인 수요가 만들어진 것이라고 보는 편이 더 정확합니다.

그럼 당장 영어를 써야 하는 해외 언어 연수생, 유학생, 이민자들 중 적어도 일부의 두뇌에는 혹시라도 수요가 아니라 진정한 갈망이 생길 수도 있지 않을까요? 저는 지금 여러분이 그렇게 해외에 거주하는 사람이라고 가정한 바 있으니까요. 그렇습니다. 일부 그런 분들에게는 진정한 갈망이 생길 가능성이 아예 없지는 않을 것입니다. 또한 모든 욕망은 현실에서는 결국 수요로 표출될 수밖에 없으므로 욕망이 있는 수요든 없는 수요든 다를 것이 없다고 생각하실 분들도 있을 것입니다. 역시 일리 있는 생각입니다. 그러나 그래 봐야 결과적으로는 역시 아무것도 달라지지 않습니다. 왜 그럴까요? 영어로 말하게 되려면 어쨌든 지속적으로 영문 생성 훈련을 해야 하는데 영어 말하기 능력 획득을 바라는 욕망이 있는 분들조차 여전히 이 훈련에 대한 욕망은 없을 것이기 때문입니다.

영문 생성 훈련의 소비는 일반적인 여타 물건이나 서비스 소비처럼 그 소비가 쾌락을 주지 않습니다. 또 돈만 지불하면 가만히 앉아서 편하게 받을 수 있는 성질의 것도 아닙니다. 말 그대로 훈련이라는 노동력의 지속적인 지출이 필요합니다. 그런데 성인 중에는 아이처럼 이 노동력 지출 행위를 좋아하고 갈망하는 사람이 역시 거의 없습니다. 타고난 소수의 영문 생성 훈련 덕후가 아닌 한 말입니다.

그런데 이뿐이 아닙니다. 심지어 영문 생성 훈련이라는 노동력을 기꺼이 지출하고자 갈망하는, 아이와 같은 욕망을 가진 소수의 성인 언어 덕후들이 있다 하더라도 이들조차도 아이처럼 100% 성공을 보장할 수는 없습니다. 이유가 뭘까요? 그런 덕후들마저 그 두뇌는 여전히 영어 습득을 반기지 않을 가능성이 매우 높기 때문입니다. 왜 그런지 그 메커니즘을 간단한 비유를 통해 살펴보겠습니다.

모국어는 말하자면 두뇌의 조강지처입니다. 모국어 습득은 아이가 엄마의 자궁에 있을 때부터 시작하는 것으로 알려져 있습니다. 이게 가능한 이유는 아기가 태어나고도 한참 후에야 열리는 시각과 달리 청각은 자궁 속 태아일 때부터 열리는 감각이기 때문입니다. 그래서 아기는 엄마의 뱃속에 있을 때부터 모국어를 듣고 그 리듬을 익힙니다.[28] 이렇게 두뇌의 안방을 생애의 거의 초창기부터 차지한 모국어이니 조강지처일 수밖에 없습니다. 그래서 전에 말씀드렸듯 아이의 두뇌는 해당 언어를 4살 때쯤이면 이미 마스터합니다.

어떤 언어를 마스터했다는 것은 뇌과학적으로 봤을 때 두뇌

---

28) 이런 단순한 사실에만 기대어 소리가 언어의 근본이며 따라서 소리 마스터가 언어 마스터의 관건이라는 잘못된 생각들이 현재 버젓이 학습법으로까지 팔리고 있습니다만 이런 방법은 틀렸습니다. 소리는 언어의 근본이 아니라 언어 전달의 한 매체일 뿐이며 언어의 필수 요소도 아닙니다. 필수 요소가 아니기에 소리가 없어도 얼마든지 언어가 성립합니다. 그 예가 바로 수화입니다. 수어라고도 하는 수화에서는 소리가 아니라 손짓, 표정 등을 이용합니다. 수어는 소리 언어, 즉 구어에 비해 아무 손색이 없는 완벽한 인간 언어입니다만 소리와는 아무런 관계가 없습니다. 심지어 구어조차 소리가 아니라 문자로 소통이 가능한 것만 봐도 소리는 언어의 필수 요소가 아님을 알 수 있습니다. 사실 언어의 필수 요소는 수어와 구어에 모두 공통되는 어떤 것, 바로 어휘와 문법입니다.

에 해당 언어의 신경망이 생겼다는 말과 같습니다. 신경망은 어릴수록 말랑말랑해서 쉽게 생성, 변형, 소멸합니다. 이런 성질을 가소성(plasticity)이라 하는데 4살 때는 이 가소성이 여전히 높아서 어떤 언어가 모국어가 되었어도 다른 언어가 끼어들어 그 모국어 자리를 손쉽게 빼앗기도 합니다. 한 언어 신경망이 다른 언어 신경망으로 대체되는 겁니다. 그러나 가소성은 나이가 들수록 줄어듭니다. 그래서 아이가 언어적 성인의 나이인 13살이 넘으면 모국어가 바뀌기 어려워집니다. 이미 모국어로 들어선 언어가 조강지처로서 두뇌 안방에 확고히 자리를 잡는 것입니다.

이런 상황에서 외국어를 배운다는 것은 무슨 의미일까요? 그것은 바로 이 조강지처의 안방에 첩을 들이려는 시도와 같습니다. 학습되는 모든 외국어의 마지막 종착지는 결국 모국어의 자리일 수밖에 없기 때문입니다. 마누라가 자신의 안방에 첩이 들어오려는 꼴을 순순히 그냥 두고 볼까요? 어림없는 소리입니다. 외국어 습득에 대한 모국어의 저항 혹은 간섭 등의 이름으로 이미 널리 알려진 갖가지 현상이 벌어지는 이유입니다. 우리가 아무리 의식으로는 진정으로 '영어를 잘하고 싶다'고, 또한 '영문 생성 훈련을 기꺼이 하고 싶다'고 바랄지라도 소용이 없습니다. 우리의 통제 밖에 있는 무의식의 언어 조강지처는 생각이 전혀 다를 수 있으니까요.

간혹 모국어 간섭은 없다면서 조강지처의 저항을 부인하는 학자들이 있는데 이런 저항은 외국어 습득에서만 일어나는 특별한 현상이 아닙니다. 삶의 거의 모든 영역에서 발생하는 매우 보편적인 현상입니다. 예컨대 테니스나 수영, 피겨스케이팅 등등의 스포츠에서 한 번 자세가 잘못 잡히면 그 자세를 바로잡기는 초보자가 새로 올바른 자세를 배우기보다 보통은 더 어렵다는 말을 많이들 들어보셨을 겁니다. 저항 때문입니다.

운동 자세에서만 나타나는 현상도 아닙니다. 정도의 차이는 있을지언정 습관이라고 부를 수 있는 거의 모든 것을 바꾸려고 할 때 나타나는 현상이기도 합니다. 그러므로 어쩌면 습관 중에서도 가장 강력한 습관의 하나라고도 할 수 있는 언어가 예외일 이유가 없습니다. 실제로 두뇌가 변화를 싫어한다는 것은 뇌과학에서도 광범위하게 인정되고 있는 사실입니다. 변화에 맞닥뜨린 두뇌는 보통 그것을 위협으로 간주하여 피하거나 맞서 싸우려는(flight or fight) 반응을 보인다고 알려져 있습니다. 둘 모두 호의적인 반응이 아닙니다. 저항 반응입니다.

우리는 소화, 배설, 호르몬 분비, 감정 등 우리 몸에서 일어나는 거의 모든 작용에 대해 아무런 통제권이 없다는 사실을 직시하여야 합니다. 소화가 잘 안 되는 사람은 소화를 잘하고 싶다고 아무리 의지해도 아무 소용이 없죠. 변비에 걸린 사람 역시 아무리 배설을 의지해도 소용이 없습니다. 또한 인간은 인슐린, 테스토스테론, 에스트로겐 등 숱한 호르몬 분비를 의지로 조절할 수도 없습니다. 조절할 수 있다면 세상에는 당뇨 환자도 없고 폐경기나 갱년기도 존재하지 않겠죠. 슬프거나 걱정거리가 생겼을 때 슬프고 싶지 않고 걱정하고 싶지 않은 의지 역시 아무런 효과가 없음은 물론입니다.

우리 의지로 할 수 있는 것은 겨우 팔 다리를 움직이는 것 정도인데 뇌파 연구를 해 보면 사실은 그마저도 우리의 의지가 아니라는 연구 결과들이 우세합니다. 가령 벤저민 리벳 (Benjamin Libet, 1916~2007)은 사람들을 모아서 원하는 때에 손목을 움직이게 하고 두뇌의 전기신호를 관찰했습니다. 그랬더니 그들이 손목을 움직이겠다고 의식, 즉 의지하기 0.55초 전에 두뇌에서 이미 손목 움직임과 관계되는 신호가 검출됐습니다. 팔 다리를 움직이겠다고 의지하기 이전에 이미 두뇌에서 그 움직임과 관계되는 신호가 나타난 것입니다.

이 실험 결과에 따르면 의지는 손목 움직임의 원인이 아니라 무의식의 두뇌가 움직이겠다고 이미 결정한 내용을 사후 통보 받은 것에 불과하다는 해석이 가능합니다. 즉 손목 하나 움직이는 것도 내 의식의 통제 아래 있지 않다는 것입니다. 다시 말하면 우리가 의지라고 생각하는 것의 정체가 사실은 무의식이 이미 내린 결정을 나중에 의식이 단지 인지하는 것에 불과할 수도 있는 셈입니다. 그나마 인지라도 하면 다행입니다. '자신의 언동이나 상태 따위를 스스로 깨닫지 못하는 일체의 작용'이라는 무의식의 정의에서부터 알 수 있듯, 무의식적 작용의 대다수를 우리는 인지조차 하지 못합니다.

의지에 관한 이 해석이 맞는다면 우리가 우리의 뜻대로 제어할 수 있는 자유 의지라는 것이 실상은 존재하지 않을 수도 있습니다. 즉 우리 몸이지만 마음대로 할 수 있는 것이 하나도 없으니 실상은 우리의 몸이든 정신이든 우리 것이 아닌지도 모르는 것입니다. (유전자의 것이라고 말하는 사람들이 있습니다.)

인체에서 일어나는 모든 일의 사정이 이러한 까닭에 두뇌 작용에 대해서도 당연히 우리는 아무런 통제권을 행사하지 못합니다. 영어를 받아들이고 싶다는 우리의 의식적 바람과는 전혀 다른 방향으로 모국어 조강지처가 얼마든지 폭주할 수 있다는 뜻입니다. 게다가 조강지처의 질투는 혼자가 아닙니다. 두뇌 생리라는 강력한 동맹까지 있습니다.

우리 두뇌는 그 자체로 에너지 먹는 하마입니다. 무게는 평균 1.5킬로그램으로 보통 성인 체중의 2~3%에 불과하지만 (아무것도 안 하고 가만히만 있어도) 자기 무게의 10배에 달하는 산소, 혈액, 에너지를 소비합니다. 그래서 산소 소모량은 몸 전체 소비량의 20~25%, 혈액량은 18%[29], 에너지 소비량은 20%[30]에 이릅니다. 이렇게 무지막지하게 에너지를 태우는 기관은 인체에 두뇌 말고는 없으며 자연계 전체에서도 비슷한 예를 찾아보기 어렵습니다. 그런데 이미 이토록 무자비하게 에너지를 소비하는 두뇌가 불필요한 에너지를 추가로 엄청나게 소비하려 들면 어떤 일이 벌어질까요?

생물 진화의 역사는 생존의 역사입니다. 따라서 자연 상태에서 살아남으려면 자원을 최대한 효율적으로 이용해야 합니다. 낭비는 꿈도 꿀 수 없습니다. 동물이 죽어 사체가 되면 살점 하나, 뼈 한 조각에 이르기까지 모두 분해되어 다른 생명체의 먹이로 사용되는 등 자연이 낭비를 극도로 싫어하는 것도 그래서입니다.

이런 상태에서 어떤 목적 달성을 위한 능력이 이미 있는데 똑같은 목적 달성을 위한 별도의 능력을 추가로 가지려는 시도는 에너지 낭비로 간주될 수밖에 없습니다. 특히 그 추가 능력의 습득에 어마어마한 에너지가 소모된다면 말입니다. 모국어라는 의사소통 수단이 이미 있는데 무엇 때문에 주변 사람 아무도 사용하지 않는 또 다른 의사소통 수단을 배워야 한다는 말입니까? 낭비입니다. 이런 에너지 낭비를 미리 막지 못하면 혹독한 자연계에서는 죽음으로 그 대가를 치러야 할지도 모릅니다.

물론 오늘날 한국 사회에서 외국어 하나 배운다고 에너지 고

---

29) 신문균, 국지연, 박애경, 진종언 '해부생리학' p.104 (현문사, 1999)
30) http://www.scientificamerican.com/article/why-does-the-brain-need-s/

갈로 죽음을 맞을 일은 없습니다만 저렇게 판단을 내리고 에너지를 절약하려는 것은 현대 우리의 의식적 두뇌가 아닙니다. 과거 수억 년 결핍의 역사를 견뎌낸 생명 일반의 유전자에 각인된, 생존을 위한 절약 본능입니다.

우리의 의식적 의지가 고작해야 우리 각자만큼만 나이를 먹은 철부지라면 우리의 무의식적 본능은 수천만 살 혹은 수억 살 먹은, 그러나 전혀 노쇠하지 않아 튼튼한 젊은이의 모습을 하고 있는 할아버지입니다. 게다가 우리의 의식적 의지라는 게 존재하지조차 않을지도 모른다는 것은 이미 앞에서 말씀드린 바와 같습니다. 따라서 만약 충돌이 발생한다면 존재 여부조차 불확실한 우리의 철부지 의지는 절대 이 수억 살 먹은 무의식 본능이라는 베테랑 할아버지를 이기지 못합니다. 혹시라도 조강지처의 마음이 고와서 정치적, 심리적으로는 첩을 기꺼이 받아들인다 해도 장기간에 걸쳐 엄청난 에너지가 투입되어야 하는 불필요한 외국어 습득을 두뇌의 에너지 소비 생리 할아버지가 받아들이기 어려울 수 있는 것입니다. 종합해 보면 아이와 달리 영어에 대한 우리 성인 두뇌의 기본 태도는 환영보다는 거부에 가까울 가능성이 훨씬 더 높습니다.

6. 영어 습득 환경 구축을 방해하는 4개의 요인

　학창 시절을 돌아보면 머리도 좋고 다른 과목들은 곧잘 하는 데 유독 외국어에서는 고전을 하는 친구들이 있었습니다. 지금까지 말씀드렸던 영어 습득 방해 요인들은 그런 친구들에게 왜 외국어 공부가 다른 공부에 비해 유난히 어려웠는지 그 이유에 대한 설명이 될 수 있습니다. 영어 공부에 대한 조강지처나 할 아버지의 방해가 보통의 학생들보다 훨씬 강했을 수 있는 겁니다. 이 방해 요인들은 다른 과목에는 없는데다 통제 불가한 두뇌에서 나오는 것이기에 방해의 정도도 사람에 따라 천차만별일 수밖에 없습니다. 그래서 강하게 방해를 받으면 머리가 아무리 좋고 공부를 하고자 해도 성과를 내기 어려울 수 있습니다.

　그 전형적인 사례가 바로 인류 역사상 가장 머리가 좋은 사람이라는 평가를 받는 아인슈타인(Albert Einstein, 1879~1955)입니다. 그의 학창 시절 공부하는 모습에 대한 가족들의 증언을 보면 물리학, 수학에는 떠들썩한 곳에서도 신처럼 집중했지만[31] 외국어에는 조용한 곳에서조차 전혀 집중하지 못했습니다. 학창 시절, 수학과 과학에서는 최상위권 성적을 거둘 만큼 훨훨 날았으나 프랑스어에서는 최하위 점수를 받아 꼴등을 밥 먹듯 했죠.[32] 외국어를 못 했던 것은 프랑스어만이

---

31) 위르겐 네페 저, 염정용·염영록 역 '안녕, 아인슈타인' p.41 (사회평론, 2005)

아니고 학창 시절의 일만도 아니었습니다. 미국에 정착해 프린스턴(Princeton)에서 지내던 시절에 (노벨 물리학상 수상자인) 유진 위그너(Eugene Wigner, 1902~1995)의 증언에 따르면 영어를 듣는 것도 말하는 것도 모두 서툴러서 측근들 대부분이 독어 구사 가능자들이었습니다.33) 영어는 아인슈타인의 모국어인 독어와 1천 년 전에는 같은 언어였다고 할 정도로 비슷해서 배우기가 무척 쉬운 편인데도 이랬습니다. 심지어 그 자신이 유대인이면서도 유대인의 언어인 히브리어를 배우려는 자신의 노력이 '비생산적인 일'이 될 거라고 아직 두뇌가 팽팽 돌아갈 나이인 44살(1923년)에 말했으며 수많은 보고에 따르면 미국에서 지내면서도 마지막 죽을 때까지 그가 편하게 구사한 유일한 언어는 독어 하나뿐이었다니34) 어학에서 별 성과를 거두지 못했던 것은 확실합니다. 이 모두가 방해 요인의 존재를 가정하지 않으면 인류 역사상 머리가 가장 좋다는 사람에게는 있을 수 없는 일입니다. 그러므로 아무리 의지로 노력해도 이

---

32) 데니스 브라이언 저, 채은진 역 '아인슈타인, 신이 선택한 인간 (The Unexpected Einstein)' p.46 (말글빛냄, 2006) / https://gizmodo.com/5884050/einstein-actually-had-excellent-grades 이 웹사이트에서는 아인슈타인 성적표의 사진을 볼 수 있습니다. 과목 대부분이 6점 만점에 5~6점인 반면 프랑스어만 유일하게 3점으로 모든 과목 중 가장 성적이 낮은 것을 확인할 수 있습니다.

33) 데니스 브라이언 저, ibid, p.122 or the Internet source: http://ysfine.com/wigner/wbrill.html

34) An attempt to learn Hebrew, Einstein is quoted in 1923 as saying, would be unproductive work for him. And from numerous reports of his American years we know that until the end of his life German was the only language he felt comfortable with. (source: http://www.albert-einstein.org/article_handicap.html)

상하게 영어만 마주하면 도무지 집중이 되지 않거나 졸음이 쏟아지거나 힘들거나 하는 분들이 계시다면 방해 요인들이 존재하지 않을까 의심해 볼 필요가 있습니다.

조강지처와 할아버지라는 두 존재의 작용은 영어 전반에 걸쳐 있으므로 당연히 영문 생성(말하기) 훈련에도 영향을 미칩니다만 이미 말씀드린 것처럼 통제할 수 있는 게 아니고 방해의 정도도 사람에 따라 천차만별이어서 대처하기가 사실상 불가능하므로 제쳐두겠습니다. 영어 말하기에서 훈련의 부하(load)를 올려 우리를 힘들게 하는 방해 요인은 저 둘 말고도 더 있는데 바로 지금부터 우리가 다루게 될 것들입니다. 다행히 이것들은 통제할 수 있으므로 알아내기만 하면 얼마든지 대처할 수 있습니다.

*　　*　　*

영어 말하기가 좀처럼 안 되는 분들은 백이면 백 모두가 영문 생성 훈련도 실전 영어 말하기만큼이나 어려워합니다. 그래서 기존의 방법들로는 십중팔구 중도에 훈련을 포기합니다. 왜 그렇게 모든 것이 힘드냐고 물으면 뻔한 것을 뭐 하러 묻느냐는 눈빛으로 쳐다보며 당연히 자신의 영문 생성 실력이 부족하니, 혹은 같은 말이지만 영문 생성이 너무 어려우니, 힘든 것 아니냐고 대답합니다.

전형적인 공부 패러다임(paradigm)식 대답인데 틀렸습니다. 환경 패러다임으로 바라봤을 때 우리가 영문 생성 훈련이 힘들다고 느끼는 이유의 대부분은 우리의 영문 생성 실력 부족과는 상관이 없습니다. 좀 이따 살펴보겠지만 영문 생성 훈련 자체는 영어 실력이 바닥인 분들도 누구나 할 수 있을 정도로 쉽습니다. 농담이 아닙니다. 우리가 영문 생성 훈련을 힘들다고 느끼는 것은 영어 실력 부족 때문이 아닙니다. 방해 요인들 때문입니다. 아인슈타인마저 외국어 분야에서 침몰시킨 그 요인들 말입니다.

문제는 이 방해 요인들의 대부분이 영어와 전혀 관련이 없다는 데에 있습니다. 그래서 영어를 붙들고 늘어져 문제를 해결하려는 공부 패러다임식 사고와 실천으로는 이 방해 요인들을 극복할 수 없을 뿐 아니라 사실상 발견하기도 어렵습니다. 일단 영문 생성 훈련에 나선 한국의 학습자가 맞닥뜨리는 첫 난관부터 영어와 무관합니다. 왜냐면 적어도 하루에 2시간 이상 6개월에서 1년, 혹은 길게는 2년을 지속적으로 떠들려는(문장을 생성하려는) 시도 그 자체가 문제인 까닭입니다.

영어로 말하는 능력을 얻으려면 응당 영어 문장을 많이 생성해 봐야 합니다. 그런데 막상 그렇게 계속 떠드는(문장을 생성하는) 행위는 과학적인 접근이 없으면 영어로는 고사하고 모국어인 한국어로도 하기 어렵습니다. 그렇기 때문에 이 어려움을 극복하는 것은 영어와 별개의 일이며 곧이어 드러나는 것처럼 의지나 노력, 공부와도 무관합니다. 지금부터 우리는 이 떠들려는 시도가 문제가 되는 이유를 좀 더 자세히 네 개로 나눠 살펴보겠습니다. 보면 아시겠지만 모두 '공부'가 아니라 '인간 존재 사이의 상호 작용'과 연관되어 있는 것들입니다.

6.1. 대화 상대가 없다

영어 말하기 능력을 습득하려는 우리가 지속적으로 떠들기 어려운 이유의 첫 번째는 의지나 노력의 부족이 아닙니다. 그저 대화 상대가 없다는 것입니다. 우리가 하려는 것은 영어이기 이전에 말하기입니다. 말한다는 행위는 공부가 아닙니다. 대화, 즉 의사소통이 그 핵심이므로 소통할 대화 상대를 전제

로 합니다. 태초부터 소통할 상대가 없었다면 말하기라는 행위
는 물론이고 심지어 우리 인간의 언어 자체도 탄생할 수가 없
었죠. 당장 아무 상대도 없는 허공에 대고 한국어로 혼자서 떠
들어 보세요. 1시간은 고사하고 1분도 하기 어렵다는 것을 알
수 있습니다. 왜 그럴까요? 대화 상대가 없는 것은 마치 공부
라는 행위를 하려고 하는데 그 전제인 책이 없는 것과 같기 때
문입니다.

이 대화 상대가 있느냐 없느냐는 당연히 영어와 무관하고 공
부와도 무관합니다. 따라서 '영어'를 열심히 '공부'한다고 해결
되는 문제가 아닙니다. 하지만 문장 생성 훈련을 하려는 사람,
특히 '지속적으로' 그렇게 하려는 사람이라면 반드시 해결하고
넘어가야 하는 부분입니다.

물론 시중에는 섀도잉(shadowing)이나 '소리 내어 읽기'처
럼 대화 상대 없이 혼자서 하는 말하기 훈련법으로 알려진 것
들이 있으므로 대화 상대 없음이 뭐가 문제냐는 생각이 들 수
도 있습니다. 이 두 방법으로 많은 사람들이 실제로 영어로 술
술 말할 수 있게 되었다면 이 생각은 타당할 것입니다. 그러나
애석하게도 이 두 방법으로 성공에 이르는 분들은 없다고 봐야
합니다. 왜 그럴까요? 사실을 말씀드리면 아무리 입으로 소리
를 내더라도 섀도잉은 여전히 듣기 훈련이고 소리 내어 읽기는
변함없이 읽기 훈련일 뿐, 절대로 말하기 훈련이 될 수는 없기
때문입니다. 따라서 두 가지를 아무리 연습해도 말하는 능력은
거의 길러지지 않습니다.

저 두 훈련으로 성공했다는 분들은 사실 두 훈련을 해서 성
공한 게 아닙니다. 그저 자신도 모르는 사이에 저 두 훈련과
병행한 어떤 문장 생성 훈련 덕분에 성공한 것인데 본인들이
두 훈련 때문이라고 믿고 있을 따름입니다. 이런 착각이 얼마

나 흔한지는 앞서 이미 얼 스테빅의 연구 사례를 들어 말씀드린 바('2.2. 학습법도 길이 아니다' 참조) 있습니다. 혹시라도 섀도잉과 소리 내어 읽기로는 말하는 능력을 얻기가 왜 거의 불가능한지를 구체적으로 확인하고 싶은 분들은 책 마지막에 있는 '16. 부록: 섀도잉 혹은 소리 내어 읽기로는 안 되는 이유'에서 자세히 증명해 두었으니 참고하시기 바랍니다.

섀도잉과 소리 내어 읽기 말고 해내기만 하면 제법 효과를 기대할 수 있는 혼자 하는 영문 생성 훈련 방법이 있기는 있습니다. 바로 '일기 쓰기'와 '깡그리 외우기' 그리고 방금 앞에서 슬쩍 등장했던 '혼자 말하기'가 그것입니다. 하지만 이 중 깡그리 외우기를 제외한 나머지 훈련들을 하려는 학습자는 역시 자신의 '영문 생성 실력 부족'의 어려움 이전에 '상대 없음'의 어려움에 먼저 맞닥뜨릴 수밖에 없습니다. 혼자 말하기는 물론이거니와 일기 쓰기도 따지고 보면 결국 상대 없이 혼자서 하는 문장 생성 훈련이기 때문입니다.

이 세 방법은 제대로 해내기만 하면 어느 정도 효과를 기대해 볼 수 있습니다만 효율이 떨어져서 저는 추천하지 않습니다. 효율이 떨어지는 이유는 당연히 부하 때문입니다. 일기 쓰기와 혼자 말하기에는 상대 없음이라는 이 태생적 부하가, 그리고 깡그리 외우기는 문장뿐 아니라 텍스트의 스토리까지 몽땅 외워야 하는 엄청난, 그러나 필요하지도 않은 부하가 공부의 효율을 떨어뜨리는 것입니다.

일기 쓰기와 혼자 말하기에는 이외에도 다른 부하는 물론이고 치명적인 약점도 존재합니다만 그에 대해서는 책이 진행하면서 더 적당한 곳에서 차차 다루게 되므로 여기에서는 일단 이 정도로 마무리하고 지금부터는 대화 상대가 언어 습득의 효율을 얼마나 높일 수 있는지와 관련하여 꼭 짚고 넘어가야 하는데 여기 아니면 다루기가 마땅치 않은 이야기를 하나 해 보겠습니다.

＊　　＊　　＊

여러 이유로 성인이 영어를 습득하는 방식은 거의 공부입니다.[35] 그런데 그 내막을 조금 분석적으로 살펴보면 (1) 먼저 성인이 공부하는 재료의 대부분은 원어민의 입에서 직접 나오는 것이 아닙니다. 무슨 말이냐면 읽기 교재든 듣기 교재든 영상 교재든 살아있는 사람과 분리된 상태로 존재하는 영어 데이터라는 겁니다. 즉 성인은 이 분리된 데이터를 공부함으로써 영어 능력을 얻으려 하는 것입니다. (2) 그러면 사람들은 어떤 성인의 영어 실력은 당연히 이 데이터를 얼마나 대량으로 열심히 공부했느냐와 비례한다고 생각하게 됩니다. 그런데 이는 성인만의 이야기가 아닙니다. 요즘은 출생률이 하도 떨어져서 어떨지 모르겠습니다만 예전에는 아동 영어 교재 시장이 성인 영어 교재 시장보다 훨씬 더 컸습니다. 아동용 교재는 성인용 교재에 비하면 글 교재보다는 청취 교재, 영상 교재의 비중이 압도적으로 더 높지만 이들도 여전히 분리된 데이터 교재임은 매한가지입니다. 분리된 데이터를 이용한 대량 학습이 일반 학습자들 사이에서는 어른, 아이 할 것 없이 최고의 외국어 습득 방법으로 여전히 각광받고 있다는 방증입니다.

그런데 언어학에서는, 특히 아이와 관련해서는 좀 다른 내용

---

35) 영어 하나 배우자고 영어권 나라로 건너가는 것은 비용도 많이 들뿐더러 인종 차별, (학습자가 언어적으로는 성인이더라도 아직 어릴 경우에는) 정체성 혼란 등 여러 위험이 따릅니다. 또한 언어적 성인이 되면 원어민 환경 속으로 들어가더라도 어차피 공부를 따로 하지 않으면 영어를 제대로 습득할 수 없습니다. 이래저래 공부는 어느 환경에 있든 필수이므로 결국 공부는 가장 기본적인 방법 중 하나가 됩니다.

의 말이 존재합니다. 아이의 경우 사람의 직접 개입 없이 언어 데이터만 제공하는 것은 언어 습득에 거의 아무런 도움이 되지 않는다는 것입니다. 즉 녹음 파일 등으로 소리만 들려준 아이는 언어를 거의 습득하지 못합니다. 심지어 사람이 나오는 영상을 보여주는 것 역시 (소리만 들려주는 것보다는 조금 더 낫지만) 별 도움이 되지 않는다고 합니다. 실험을 해 보면 오직 살아있는 사람에게서 직접 나오는 언어 데이터여야만 효과가 있다는 것입니다.[36] (아동용 청취 교재, 영상 교재 등의 구입에 신중해야 하는 이유입니다.) 이제 이 실험실의 결론을 다음의 현실 사례와 결합해서 살펴봅시다.

세상에는 과테말라의 주닐(Zunil)족이나 파푸아 뉴기니의 칼룰리(Kaluli)족, 사모아의 부족들처럼 부모(여기서 부모는 꼭 친부모라기보다 아이를 주로 돌보는 사람을 다 일컫습니다.)가 불가피한 명령 등을 제외하면 아이에게 거의 말을 걸지 않는 문화를 가진 지역이 있습니다.[37] 아무리 아이들은 주변 사람들끼리 나누는 말로부터도 언어를 배운다지만 아이 때는 어릴수록 부모로부터 얻는 언어 데이터에 크게 의존합니다. 그렇다면 저런 부족의 아이들은 접하는 언어 데이터의 양이 다른 아이들에 비해 아무래도 적을 수밖에 없습니다. 따라서 이로부터 우

---

36) Anne Curzan, Michael Adams, ibid. p.326
37) 주닐족: ... vocal interaction between infants and parents was minimal — Clifton Pye, An Ethnography of Mayan Speech to Children Working Papers in Child Language 1:30-58. (The Child Language Program, University of Kansas, 1986) / 칼룰리족과 사모아족: Elinor Ochs, Bambi B. Schiefelin, Language Acquisition and Socialization: Three Developmental Stories and Their Implications, Sociolinguistic Working Paper Number 105, November, 1982

리는 만약 언어 데이터를 얼마나 많이 공부하느냐가 언어 습득의 성패를 결정한다는 지금까지의 대중적인 믿음이 옳다면 방금 언급한 지역의 아이들은 다른 지역의 아이들에 비해 언어 습득이 늦어질 것이라는 결론에 도달할 수 있습니다.

그런데 희한하게도 이런 지역의 아이들 역시 모두 제때에 언어를 습득합니다. 부모로부터 풍부한 언어 데이터를 받는 다른 지역의 아이들과 거의 아무런 차이가 없습니다. 부족한 언어 데이터로도 언어 습득을 완벽하게 해내는 것인데 이는 성인으로 치면 남들이 10시간 공부할 때 좀 과장하자면 1시간만 공부하고도 목표 언어를 똑같이 마스터 수준으로 습득한 것에 해당하기에 놀랄 만한 일입니다. 아이들은 온종일 엄청나게 많은 시간을 언어에 노출[38]되기에 언어 습득에 성공하는 것이라고 알고 계신 분들이 많지만 1시간만 노출되어도 성공하는 것입니다. 그렇다면 이것의 의미는 무엇일까요?

아이의 언어 습득에서는 언어 데이터 학습량도 물론 중요하지만 그보다는 적은 양의 언어 데이터여도 그것이 살아있는 실재 사람, 즉 존재에게서 직접 나오느냐 아니냐가 더 중요하다는 것입니다. 지금까지 제가 '살아있는 실재 사람'이란 표현으로 대표해 말씀드렸던 이 현상의 이름은 샐리언스(salience)입니다. 우리말로는 '두드러짐', '현저' 정도로 번역할 수 있는 용어인데 아이가 느끼는 언어의 샐리언스가 살아있는 실재 사람으로부터 나올 때는 매우 강력합니다. 이 강력한 샐리언스 덕분에 아이들은 언어 데이터의 양이 적어도 아무 문제 없이 언어 습득에 성공하는 것입니다. 그런데 사실 크고 강력한 샐리

---

38) 이것도 사실이 아닌 것이 아이들은 어릴수록 하루의 대부분을 잠으로 보내며(갓난아이: 16시간 이상, 2살: 13시간 이상) 4살이 되어도 평균적으로 하루에 10~13시간을 잡니다. 언어에 노출되는 시간은 일반적인 아이들도 생각보다 훨씬 적습니다.

언스를 사람만 줄 수 있는 것은 아닙니다.

가령 아이맥스 영화관의 화면 크기가 아무리 압도적으로 커도 거기에서 쥐나 바퀴벌레가 달려드는 모습을 보고 도망치는 사람은 없습니다. 그러나 아무리 크기가 손가락 한 마디보다 더 작게 보이더라도 실제로 내 방 한 복판을 가로질러 나에게 달려드는 쥐나 바퀴벌레가 눈에 띄면 대다수가 모골이 송연해져서 도망칩니다. 똑같은 쥐와 바퀴벌레의 이미지이고 크기는 아이맥스 쪽이 압도적으로 더 거대한데도 이런 현상이 벌어지는 이유 역시 실체와 분리되어 화면에 데이터로만 존재하는 바퀴벌레나 쥐가 주는 힘은 실재하는 바퀴벌레나 쥐로부터 우리가 느끼는 힘에 비할 바 못 되기 때문입니다.

강력한 샐리언스[39]는 두뇌 신경망 형성과 관련됩니다. 우리가 영어 데이터를 열심히 공부하는 것은 따지고 보면 결국 두뇌에 영어 신경망이 생기게 하기 위함입니다. 공부를 마치고 뭔가를 완전히 알게 됐다는 것은 그 공부에 해당하는 신경망이 두뇌에 생겼다는 의미이니까요. 공부를 아무리 열심히 오래 해도 이 신경망이 생기지 않으면 공부한 내용을 알게 되지 못합니다. 공부 내용의 샐리언스가 약한 경우 일어날 수 있는 일입니다. 반대로 단 한 번만 스치듯 공부했어도 신경망이 생기면 공부한 내용을 알게 됩니다. 공부 내용의 샐리언스가 강력한 경우 일어날 수 있는 일입니다.

공부란 머리가 좋아서도 잘할 수 있겠습니다만 머리가 나빠

---

39) 여기에서는 엄밀히 말하자면 순(純)샐리언스라고 해야 합니다. 순샐리언스 개념으로 따지면 샐리언스가 강하지 않아도 강한 샐리언스와 똑같거나 더 강력한 효과를 얻을 수도 있습니다. 그러나 이 순샐리언스에 대해서는 기회가 되면 별도의 책으로 다뤄야지 여기서 설명할 수 있는 분량이 아닙니다. 그러므로 일단은 그냥 샐리언스로 생각하고 넘어가시면 되겠습니다.

도 이 샐리언스를 높이면 심지어 좋은 머리를 압도하는 성과를 올릴 수도 있는 셈입니다. 가령 FG증후군이라는 희귀한 유전 질환으로 지능이 87 정도에 머물러서 혼자서는 옷을 입을 수도, 세수나 양치를 할 수도 없었던 킴 픽(Kim Peek, 1951~2009)[40]이 전화번호부를 비롯해 1만 권이 넘는 책을 읽고 그 내용을 거의 그대로 100% 기억하는 능력을 갖게 된 이유 중 하나도 이 강력한 샐리언스입니다. 킴 픽처럼 매우 드문 사례만 있는 게 아닙니다. 당장 성인에 비하면 지능이 한참 뒤떨어지는 4살 아이가 다른 학습에서는 성인의 발끝에도 미치지 못하지만 언어 습득에서만큼은 성인을 압도하는 성과를 올리는 이유 중 하나도 바로 이 강한 샐리언스입니다.

다행히도 언어 습득에서 나타나는 이 강한 샐리언스는 아이만의 전유물이 아닙니다. 아이만큼은 아니지만 거의 모든 성인에게도 나타납니다. 가령 무슨 이유에서인지는 모르겠으나 저는 영어 어휘 taper와 wherewithal, permeate, petal, give rise to, space out 등에서 샐리언스가 엄청나게 강했습니다. 딱 한 번 접하고도 뜻을 곧장 기억했고 이후 지금까지 잊은 적이 없기 때문입니다. 아마 남은 평생 잊지 못할 듯합니다. 여러분들 거의 모두도 영어를 공부하다 보면 최소 한 번 이상은 반드시 경험하시는 일입니다. 아니라는 분들은 아시는 영어 욕 몇 개를 떠올려 보시기 바랍니다. 아무리 반복해도 외워지지 않는 다른 단어들과 달리 아마 한 번만 듣고도 바로 기억하셨고 이후로 잊은 적이 없었을 겁니다. 강력한 샐리언스말고는 설명이 안 되는 일입니다.

샐리언스가 강할 때와 달리 약할 때는 신경망을 형성하기 위

---

40) 1988년 영화 '레인 맨'의 주인공인 레이먼드 배빗(Raymond Babbitt)의 실재 모델

해서는 당연히 많은 반복 경험이 필요합니다. 저도 방금 앞에서 나열한 낱말들을 제외한 다른 대부분의 영어 낱말들이 그러했고 지금도 그러합니다. 이로써 우리는 어째서 주닐족, 칼룰리족, 사모아 부족의 아이들이 부모로부터 받는 언어 데이터가 현저히 적음에도 아무런 문제없이 언어를 습득할 수 있는지, 따라서 언어 습득에서는 왜 두뇌에 제공되는 언어 데이터의 양(공부)을 늘리는 것 못지않게 제한적인 양의 언어 데이터라도 그 샐리언스를 늘리는 것이 중요한지를 이해할 수 있습니다.

저는 space out, give rise to는 사람과 상대하는 와중에, 그 외에 taper, wherewithal, permeate, petal 등은 책을 보고 공부하다가 알게 되었습니다. 언어 데이터와 관련해서 강한 샐리언스가 늘 실재 사람과 결부되는 모양새인 아이의 경우와 달랐죠. 이처럼 모든 강력한 샐리언스 현상이 필연적으로 실재하는 존재와 연관되어야 하는 것은 아닙니다.

하지만 저를 비롯하여 성인들에게 일어나는 강력한 샐리언스는 드문 우연이고 아이들에게 일어나는 강력한 샐리언스는 빈번한 일상입니다. 그런데 아이의 강한 샐리언스는 실존하는 사람과 연관되죠. 게다가 인터넷 게시판에서 데이터로만 존재하는 상대를 향해서는 패륜적인 발언조차 서슴지 않던 사람들도 막상 그 상대와 실제로 마주하면 전혀 그렇게 하지 못하는 것에서 알 수 있듯 성인들에게도 의사소통(언어와 유관함)과 관련하여 실존하는 사람의 샐리언스는 어마어마합니다. 언어 습득에서 우리가 고찰해야 하는 샐리언스의 출발점이 여전히 인간 존재 사이의 상호 작용을 가능하게 하는 대화 상대일 수밖에 없는 이유입니다. 이 정도로 대화 상대라는 존재는 언어 습득에서 중요합니다. 그런데 이토록 필수적인(?) 대화 상대가 지금 우리에게는 없습니다.

지금 저는 같은 환경이 마련되어도 아이에게라면 나타나지조차 않을 방해 요인이 성인에게는 일상으로 계속 나타난다는 것을 보여드리고 있습니다. 앞으로도 이런 일이 반복적으로 벌어지는 것을 목격하실 텐데 아이가 암기력, 이해력, 분석력, 종합력 등 거의 모든 두뇌 능력에서 성인에 비해 크게 뒤떨어져서 다른 학습에서는 성인의 상대가 되지 못함에도 유독 언어 습득에서는 성인을 압도하는 뛰어난 성과를 보이는 이유 중 하나가 바로 이것입니다.

　저는 이 상태를 '언어 학습자이기만 한 성인'과 달리 아이는 '언어 학습자인 동시에 자신이 언어 습득 환경의 일부'이기도 해서라고 정리합니다. 이 정리는 우리 성인도 아이처럼 뛰어난 언어 습득 성과를 얻고자 한다면 여태 해온 학습 과정에다 '우리 자신을 언어 습득 환경의 일부로 되돌리는 과정'을 더하려는 조치가 필요하다는 암시를 내포합니다. 그리고 만약 그것이 불가능하다더라도 적어도 흉내는 내려고 노력해야겠죠.

*　　*　　*

　이렇게 꼭 짚고 넘어가야 할 이야기는 끝이 났습니다. 그럼 원래 이야기로 돌아가 논의를 계속 이어가 봅시다. 지금까지 살펴본, 대화 상대가 없어서 일어났던 문제들이 일단 해결되었다고 가정하는 겁니다. 즉 우리에게는 알맞은 대화 상대가 생겼습니다. 다시 말하면 아무런 조건 없이 하루 24시간 1년 365일을 우리 곁에 머물면서 우리와 영어로 대화를 나누고 틀린 영어가 우리 입에서 나오면 곧장 올바른 영어로 고쳐주는 상대가 생겼다고 가정합시다. 자, 그렇다면 우리는 곧장 그 상대와 무수히 많은 영문 생성 훈련을 시작할 수 있을까요? 그래서 영어로 말하는 능력을 100% 확실하게 얻을 수 있을까요? 그렇게만 된다면 얼마나 좋겠습니까만 안타깝게도 그렇지 않습니다. 떠들려는 시도가 문제가 되는 두 번째 이유가 있기 때문입니다.

6.2. 말할 콘텐츠가 없다

성인이 영어로 말하기(문장 생성) 연습을 하기가 어려운 두 번째 이유 역시 영어 실력은 고사하고 영어와도 아무런 상관이 없습니다. 앞의 가정에 의해 현재 우리 눈앞에는 우리를 도와줄 이상적인 대화 상대가 있습니다. 아무 대가 없이 하루 24시간 내내 우리 곁에 머물면서 우리 입에서 나오는 틀린 영어를 교정해 줄 사람입니다. 이런 사람이 확보되었으니 그럼 우리는 이제 이 사람과 곧장 '무수히 많은 대화'를 나누면서 영어 말하기 실력이 일취월장할 수 있을까요? 안타깝게도 아직은 아닙니다. 이번에는 문장을 생성할 거리, 즉 콘텐츠가 없다[41]는 것이 문제로 대두되는 까닭입니다.

너무나도 당연한 말이지만 대화에서 두 사람이 서로 공유할 수 있는 콘텐츠가 없으면 그 대화는 지속하기가 어렵습니다. 그런데 설문에 따르면 과거나 지금이나 학생들(언어적으로는 성인으로 간주됩니다.)이 가장 어려워하는 방학 숙제는 일기 쓰기입니다. 문제를 푸는 것도 아니고 잘하는 한국어로 그냥 쓰면 되는 일기 쓰기가 왜 가장 어려울까요? 콘텐츠 생성의 영역이기 때문입니다. 일기란 미뤘다가 한꺼번에 쓰려 해서 어려운 게 아닙니다. 그날그날 쓰려 해도 어려우니까 미룬 것이며

---

41) 물론 지금 말씀드리는 콘텐츠 없음은 제로(zero) 콘텐츠를 의미하는 게 아니라 대화를 지속시키기에 적합한 콘텐츠의 부족을 의미합니다.

따라서 미뤘든 안 미뤘든 어렵습니다. 그래도 일기의 콘텐츠는 나한테 쓰는 것이어서 덜 부담스러운 편입니다. 대화는 존재하는 상대가 있어 샐리언스가 엄청나므로 여기에 사용할 콘텐츠를 만드는 것은 여간 부담스러운 일이 아닙니다.

더욱이 어떤 콘텐츠가 대화에 적합한 콘텐츠가 되기 위해서는 생각보다 많은 조건들을 충족해야 합니다. 잘못 만들어진 콘텐츠는 대화 지속에 도움은커녕 방해만 되는 경우도 허다합니다. 산전수전 다 겪은 성인들도 언어의 세계에서 대화를 나누다 보면 잘못된 콘텐츠(말실수)를 숱하게 만듭니다. 아 해 다르고 어 해 다르다[42]는 말도 이런 현실 때문에 나온 것입니다. 그래서 대화를 나눈다는 것은 누구나 할 수 있지만 동시에 아무나 할 수는 없는 행위입니다. 좀 자세히 살펴보겠습니다.

2021년, 어느 재혼 전문 업체가 전국의 재혼 희망 남녀 각각 257명, 총 514명을 대상으로 어떤 상황에서 맞선 상대와 대화가 잘 통하지 않아서 어색해지는지를 조사했습니다. (어색해지는 경우가 드물다면 애초에 이 설문 조사 자체가 이뤄지지 않았겠죠. 빈번하다는 방증입니다. 아시다시피 맞선이라면 서로가 대화를 좋게 성사시키려고 애를 쓰는 경우인데도 이렇습니다.) 그랬더니 남성의 경우 응답자의 31.5%가 '생뚱맞은 질문(화제)'이라 답했고, 여성의 경우는 33.5%가 '대화 독점'으로 답해 각각 가장 높은 비중을 차지했습니다. 이어 남성은 '지적 수준이 안 맞음'(26.1%), '묵묵부답'(21.0%), '대화 독점'(14.0%) 등의 순이었고, 여성은 '대화 독점' 다음으로 '묵묵부답'(26.9%), '생뚱맞은 질문(화제)'(22.2%), '(대화를 중간에) 툭툭 끊음'(11.3%) 등의 순이었습니다.[43] 남성의 경우 '생뚱맞

---

42) '아 다르고 어 다르다'고 일반적으로 알려져 있지만 표준국어대사전에는 '아 해 다르고 어 해 다르다'로 나옵니다.

은 질문(화제)'이 심지어 '지적 수준이 안 맞음', '묵묵부답', '대화 독점'보다 순위가 더 높았다는 사실에 주목하세요. 언뜻 별것 아니라고 사람들이 생각하기 쉬운 문제가 실은 심각한 문제일 수 있음을 암시합니다.

그런데 정작 우리의 허를 찌르는 것은 경험이 풍부한 성인들조차 대화에서 저런 실수를 한다는 이 설문 조사 내용이 아니라 가령 남성들의 1순위였던 생뚱맞은 질문(화제)을 꺼낸 여성들의 상당수는 본인이 그런 질문(화제)을 꺼낸 사람으로 여겨지고 있다는 것을 지금도 까마득히 모르고 있을 것이라는 사실입니다. 왜냐면 해당 여성의 기준에서만큼은 그 질문(화제)이 생뚱맞은 질문(화제)이 아니었을 것이기 때문입니다. 자신이 느끼기에도 생뚱맞은 내용이었으면 심지어 재혼을 위한 맞선자리인데 애초에 남성에게 그 화제를 꺼내지도 않았겠죠. 그럼 생뚱맞은 질문(화제)만 이럴까요? 당연히 우리는 '지적 수준이 안 맞음', '묵묵부답', '대화 독점' 모두에 대해서도 똑같은 이야기를 할 수 있습니다. 좋은 대화를 잘 풀어나갔다고 지금도 믿고 있는 수많은 사람들의 현실은 전혀 그렇지 않을 수 있는 것입니다.

게다가 이게 끝이 아닙니다. 더욱 께름칙한 사실은 앞의 설문 조사에 나열된 어색해지는 사유들이 사유 목록의 전부일 리가 없다는 점입니다. 조세핀 베이커(Joesphine Tuck Baker)는 '대화의 기술(Art of Conversation)'이라는 책에서 대화를 위한 12개 황금률을 제시했는데 그 내용이 '불필요한 디테일을 피하라', '첫 질문에 대한 답을 들을 때까지는 두 번째 질문을 하지 말라'와 같은 것이었습니다. '생뚱맞은 질문(화제)을 꺼내

43) 맞선서 어색해질 때.. 男 "생뚱맞은 질문" 女는?
https://www.fnnews.com/news/202102220920174967

지 말라', '대화를 독점하지 말라'와는 전혀 다른 결의 목록이
죠. 저라면 대화의 콘텐츠가 (1) 어느 한 사람의 취향에 맞지
않는다거나 (2) 우연찮게 누군가의 속을 긁는다거나 (3) 최소한
의 문화적 공감대 위에 없다면 그 대화 역시 지속하기 어렵다
는 내용을 목록에 추가할 것 같습니다. 즉 대화 지속에 적합한
콘텐츠로서 충족해야 할 조건들의 목록은 무수히 늘어날 수 있
습니다.

　이처럼 여러 조건을 전부는 아니더라도 거의 대부분 충족하
는 콘텐츠, 즉 '적절한 콘텐츠'가 없으면 아무리 이상적인 대화
상대가 눈앞에 있더라도 제대로 '오래' 대화를 나누는 것, 즉
문장들을 지속적으로 만들어 서로 주고받는 것은 영어로는 고
사하고 한국어로도 어렵습니다. 그리고 이런 현상은 맞선처럼
낯선 사람들 사이에서만 나타나는 게 아닙니다. 친숙한 사이에
서도 나타납니다.

　2018년 11월 24일, 서울 서대문구의 KT 아현지사에서 큰
불이 일어나 서울 여러 지역은 물론이고 경기도 일대에 이르기
까지 전화든 인터넷이든 케이블 방송이든 모든 통신이 마비된
일이 있었습니다. 제법 큰 뉴스라 당시 떠들썩했었죠. 이때 마
침 휴무라 집에서 함께 쉬던 부부가 있었는데 TV를 볼 수 없
게 되자 부부끼리 할 이야기가 없어서 무척 난감했다는 사연을
라디오에 보내 왔습니다. 부부니 취향이나 공감대가 애초에
크게 다르지는 않았을 확률이 높고 함께 라디오에 사연을 보낼
정도면 사이도 나쁘지 않아 보임에도 적절한 콘텐츠가 없으니
대화가 어려운 겁니다. 맥락은 좀 다르지만 대한민국 부부 세
쌍 중 한 쌍은 하루 대화 시간이 30분도 되지 않는다[44]는

---

44)
　http://www.hankookilbo.com/News/Read/201602041284957

2013년 조사 결과도 있는데다 가족끼리도 심지어 밥상에 마주 앉아서도 각자 별말 없이 밥만 먹고 흩어지는 경우가 많다는 것은 이미 현실에서 경험하고 계시는 바와 같습니다.

사람들 사이에 의사소통이 잘 안 되는 것은 최근의 문제도, 일부만의 문제도 아닙니다. 까마득한 옛날부터 전 세계적 문제였습니다. 그래서 한비자(韓非子, c.[45]281~233 BCE)와 같은 이는 2천 년도 더 전에 이미 의사소통의 어려움을 논했고 그 천재적인 두뇌로 해결책을 강구했음에도 결국 그 의사소통의 불발로 죽음을 맞이하기도 했죠. 독약을 먹고 목숨을 잃은 소크라테스(Socrates, c.470~c.399 BCE), 산 채로 화형을 당한 이탈리아의 철학자 부르노(Giordano Bruno, 1548~1600) 등도 비슷한 사례입니다. 오죽 소통이 문제였으면 현대에는 커뮤니케이션이 대학의 정식 학과목이 될 정도입니다. 대화를 지속하게 해 줄 적절한 콘텐츠를 만들어내는 것이 그만큼 어려운 일이라는 방증입니다.

그런데 이 콘텐츠 생성 분야에서도 아이는 성인과 아주 다른 양상을 드러냅니다. 그 어떤 성인도 아이가 생뚱맞은 질문(화제)을 꺼냈다거나 지적 수준이 낮다는 이유로 대화가 안 된다고 생각하지 않습니다. 세상 모든 경험이 다 새로워서 신기하지 않은 일이 없는 게 아이인지라 성인이라면 인식조차 못할 것들을 보고도 혼자 빵 터져서(강력한 샐리언스) 별안간 뜬금없는 말을 걸거나(생뚱맞은 화제이자 대화 끊기) 엄마 아빠가 귀찮아할 정도로 말을 해댑니다만(대화 독점) 이를 문제 삼는 성인 역시 거의 없습니다. 아이가 대화를 나누기를 원하는 주제가 부모의 취향, 문화적 공감대 등등에 맞을 리 없지만 그래

524
45) 연도가 확실하지 않을 때 c.를 앞에 붙입니다.

도 무방합니다. 애초에 아이의 말에서 그런 것을 따지는 성인이 없습니다.

성인은 말이 안 되는 주제로 말이 안 되는 소리를 지껄이면 사회에서 매장이나 안 당하면 다행이지만 아이는 그렇게 해도 거의 모든 성인들이 매장은커녕 즐거이 대답해 줌은 물론이고 시시때때로 먼저 말도 걸어 줍니다. 그럼 아이는 되든 말든 대답을 하게 되므로 대화가 이어집니다. 한마디로 아이의 언어 생활에서 콘텐츠는 조건도 없고 무궁무진합니다. 하지만 성인은 아이와 거의 모든 면에서 판판이기에 오래 말할 거리, 다시 말해 콘텐츠가 절대적으로 부족합니다.

대화 상대의 확보와 마찬가지로 이 말할 거리, 즉 콘텐츠의 확보 역시 영어와는 아무런 관계가 없습니다. 따라서 의지로 영어를 공부한다고 해결할 수 있는 문제가 아닙니다. 영어로 문장 생성 훈련을 하는 것이 왠지 모르게 괜히 힘들 때 그 문제는 일차적으로 부족한 영어 실력에서 나오는 게 아니라 방금 언급한 '대화 상대 없음'과 '콘텐츠 없음'이라는 환경 미비에서 나오는 것이라는 말씀입니다. 이 두 문제는 영어 실력을 기른답시고 책상에 오래 앉아 있을수록 오히려 해결에 불리합니다. 대화 상대 확보와 콘텐츠 확보 모두 책상을 박차고 세상으로 나가 사람들과 어울려야 유리한 까닭입니다.

6.3. 영문 생성 능력이 없다?

앞서 다룬 대화 상대 없음과 콘텐츠 없음의 문제 중 해결된 것은 하나도 없지만 우리는 논의의 진행을 위해 역시 일단 다 해결되었다고 가정합시다. 그랬을 때 우리는 비로소 언어의 문제와 맞닥뜨리게 됩니다. 대다수 학습자가 가장 큰 문제라고 여기지만 사실은 그렇지 않은, 다름 아닌 바로 '영문 생성 능력의 부족'입니다. 그런데 여태 보신 바와 같이 이 문제 역시 의지, 노력, 인내로 공부를 해서 해결할 수 있는 문제라기보다는 언어 습득 환경의 구축을 통해 해결해야 할 문제입니다.

게다가 사실 이 세 번째는 우리의 최종 '목표'로 봐야지 중간 단계의 '문제'로 보기는 어렵습니다. 지금 우리는 영어로 제대로 말하는 능력이 부족해서 영문 생성 훈련을 시작하려는 것이기에 아직은 엉터리 콩글리시 문장만을 만들어내는 것이 당연하기 때문입니다. 그렇다면 이는 세 번째 단계의 진짜 '언어' 문제는 '영어 실력 부족'이 아니라 따로 있다는 말이 됩니다. 무엇일까요?

우리는 지금 스피킹 능력이 없어서 영문 생성 훈련을 하려는 것이지만 이때의 문제가 영어 실력 부족이 아닌 이유는 영문 생성 훈련 자체는 영어 실력이 바닥인 사람도 얼마든지 할 수 있을 만큼 쉽기 때문입니다. 농담이 아닙니다. 정말입니다. 영미권 국가에서는 초등학생도 하고 심지어 유치원생도 하는 것이 영어 말하기입니다. 심지어 유치원생이 그 언어를 마스터한 때는 자신이 유치원을 다닐 때보다 더 어린 4살이었습니다. 그 나이 때 두뇌 능력과 지능은 성인에게는 비할 바조차 못 되고 침팬지보다도 떨어지며 오히려 개나 닭과 비교해야 할 정도입니다. 그런 두뇌로도 언어를 마스터한 것입니다. 이 모든 것이 애초에 말하기 자체가 우리가 생각하는 것처럼 정말 어려운 일이었다면 일어날 수 없는 일입니다.

그렇다면 그동안 우리는 무엇 때문에 유치원 취학 이전의 아동에게도 쉬운 영문 생성 훈련을 그토록 어려워했을까요? 영어 실력이 부족해서라고 철석같이 믿고서 영어 공부에 더욱 매진한 분들이 대다수이겠지만 아닙니다. (물론 대화 상대 없음과 콘텐츠 부족의 문제가 어려움의 일차적 이유지만 지금은 이 둘이 해결되었다는 가정 상태입니다.) 그저 처음부터 완벽한 영어로 말하려는 강박 때문에 어려웠던 겁니다.

이 강박만 떨쳐버리면 영어 문장을 생성하는 훈련 자체는 영어 실력이 형편없는 사람도 누구나 할 수 있을 만큼 쉽습니다. 그럴 수밖에 없는 게 그 영문은 엉터리 콩글리시여도 되고 심지어 그저 단어만 몇 개 겨우 나열하는 수준이어도 아무런 상관이 없기 때문입니다. 따라서 장담컨대 한국에서 중고교 정규 영어 교육을 마친 사람이라면 누구나 할 수 있을 만큼 쉬운 게 영문 생성 훈련입니다. 즉 현재 단계에서 우리의 영어 실력이 부족한 것은 거의 문제가 되지 않습니다.

그럼 이 단계의 진짜 언어 문제는 무엇일까요? 우리가 강박을 극복하고 마음 편하게 엉터리 콩글리시로 영문 생성 훈련을 시작하는 데 성공했을 때 우리 입에서 나오는 그 오류투성이 문장들을 올바른 영어 문장으로 교정 받을 방법이 없다는 것이 진짜 언어 문제입니다. 맞습니다. 바로 '교정'입니다.

일부에서는 이 교정을 위해서라도 공부를 열심히 하여 어휘와 표현을 많이 알아야 하고 그렇게 될 때에만 자신의 입에서 나오는 콩글리시도 차츰 교정된다고 주장하면서 이 교정의 문제를 다시 공부의 문제로 환원하려 하지만 그런 접근 방법은 잘못입니다. 왜냐면 공부만으로 잘못된 영어를 스스로 올바른 영어로 교정할 수 있다면 애초에 공부를 열심히 하면 그 올바른 영어로 말도 할 수 있게 된다는 주장과 같은 것이 되어버리고 마는 까닭입니다. 그렇다면 10년, 20년 넘게 영어에 매달려온 한국인 학습자들은 이미 모두 영어로 술술 말할 수 있어야 하는데 어디 그런가요?

영어로 말을 술술 할 수 있으려면 머리에 어떤 메시지가 떠오르는 것과 '동시에' 그 메시지를 영어로는 어떤 단어로 시작해서 어떻게 문장을 전개하여 끝맺어야 할지가 역시 '순간적으로' 그리고 '무의식적으로' 떠올라야 합니다. 우리가 한국어로 말할 때처럼요. 이 과정은 영어를 마스터한 원어민이라면 제아무리 보잘것없는 어휘력, 표현력을 가진 유치원생이라도 당연하게 해내는 것에서 알 수 있듯 본질적으로는 어휘력, 표현력, 문장력 등의 문제가 아닙니다. 공부의 문제가 아니라는 말씀입니다. 그보다는 쇳물을 거푸집에 부었을 때 그 거푸집의 형태에 따라 찍혀져 나오는 쇳덩이의 모양이 순식간에 결정되는 것과 비슷합니다. 어떤 메시지를 두뇌에 부었을 때 그 언어 중추에 한국어 거푸집이 있는지 영어 거푸집이 있는지에 따라 순식간에 한국어 문장 혹은 영어 문장이 나오는 것이라는 말씀입니다.

이 영어 거푸집, 다시 말해 영어식 두뇌는 이미 완벽하게 쓰여 있는 영문을 수없이 읽거나 듣고 이해한다고 해서, 즉 전통적인 방식으로 공부한다고 해서 만들어지는 게 아닙니다. 왜냐면 전통적인 공부로는 영문이 여전히 두뇌 밖에만 존재할 뿐이고 두뇌 안에는 존재하지 못하기 때문입니다. 두뇌 밖의 영문이 독해나 청취라는 소화 과정을 거쳐 두뇌에 들어오면 남는 것은 오로지 메시지입니다. 그러면 그 메시지는 한국인의 두뇌에 존재하는 한국어 거푸집에 담기게 됩니다. 외국어 이해의 최종 형태는 모국어일 수밖에 없다는 것은 이를 두고 하는 말입니다. 즉 영어 '공부'는 아무리 직독직해 직청직해를 능수능란하게 한들 언어 거푸집의 관점에서만큼은 여전히 한국어 연습인 셈입니다. 공부를 많이 한 사람도 결국은 고급 단어와 복잡한 문장의 콩글리시를 만들어 낼 뿐이라는 앞서 말씀드렸던 내용도 두뇌에 영어 거푸집이 만들어지지 않은 상태에서 영문 생성을 시도하니까 벌어지는 현상입니다.

두뇌에 영어 거푸집을 만드는 유일한 방법은 내 두뇌 속에서도 영문이 끊임없이 만들어져 존재하는 것입니다. 그래야 차츰 그 영문에 맞는 거푸집도 만들어집니다. 즉 영문을 스스로 계속 생성해 보는 과정을 무수히 거쳐야만 합니다. 물론 여기에서 그치면 그 거푸집은 콩글리시 거푸집이 될 뿐입니다. 영문 생성과 함께 교정까지 거쳐야 그 콩글리시 거푸집은 제대로 된 영어 거푸집으로 탈바꿈할 수 있습니다. 그런데 이 교정은 개인이 의지와 공부로 해결할 수 있는 문제가 아니라 '원어민 의사소통 참여자의 협력'이라는 언어 습득 환경으로만 해결할 수 있습니다.

앞서 말씀드린 것처럼 현 단계에서 이 교정 문제를 처리할 수 있는 수단은 오로지 돈이었습니다. (설마 누군가 자신의 생업을 팽개치고 하루 24시간 우리 곁을 떠나지 않으면서 무료로 언어 교정을 해 주는 희한한 일이 실제로 일어나리라고 믿는 분은 없을 테니) 상당한 급료를 주고 원어민 교정 전문가를 고용해 하루 24시간을 함께 지내는 것 말입니다.

6.4. 적절한 교정이 없다

그럼 대화 상대와 말할 콘텐츠가 넉넉히 확보된 상태에서 우리가 부자라 가정하고 많은 액수의 돈을 들여 하루 24시간 원어민 전문가의 밀착 교정까지 받으면 이제 모든 문제가 해결되고 우리는 영어로 말하는 능력을 얻게 될까요? 안타깝게도 아직은 아닙니다. 아이와 달리 성인이라면 해결되지 않는 부분이 여전히 남아 있기 때문입니다. 언어 습득 환경을 이루는 4요건을 아직 기억하시는 분이라면 어렵지 않게 눈치채셨을 것입니다. 그렇습니다. 받은 교정이 나의 실력이 되려면 망각되지 않아야 하므로 반드시 일정 주기 이내에 반복되어야 하는 부분입니다.

죽은 개는 아무리 개의 형상을 하고 있어도 더는 개가 아니듯 잊힌 지식은 더는 지식이 아닙니다. 즉 받은 교정이 잊히지 않고 나의 지식이 되려면 장기 기억으로 넘어가 두뇌에 신경망의 형태로 자리 잡아야 합니다. 그리고 그렇게 되려면 (해당 지식이 우리에게 주는 샐리언스가 엄청나게 크지 않은 이상) 똑같거나 적어도 매우 비슷한 내용의 교정이 일정 기간 이내에 충분히 여러 차례 반복되어야 합니다. 바로 이 '기간 내 반복 교정'이 '적절한' 교정입니다. 기간 내에 반복되지 않는 교정은 적절한 교정이 아니며 따라서 확실한 효과도 기대할 수 없습니다. 오직 적절한 교정만이 확실한 효과를 가져옵니다. 그런데 성인의 현실에서는 아무리 원어민 교정 전문가가 곁에 있어도 이 적절한 교정이 일어나기가 사실상 불가능합니다. 반면에 아이는 언어 환경적으로 이게 가능할 뿐만 아니라 일상입니다.

아이, 특히 유아는 일상의 스펙트럼이 성인에 비하면 매우 좁고 단순하여 그것이 말에도 그대로 반영됩니다. 먼저 단어입니다. 이를테면 어떤 아이가 있는데 그 아이가 함께 살다시피 하는 친할머니네 진돗개 이름이 마루라고 합시다. 그러면 그 아이에게는 다른 모든 개가 다 마루입니다. 뿐만 아니라 고양이도 마루, 돼지도 마루, 소도 마루입니다. 네 발 달린 모든 짐승이 마루가 되는 겁니다. 같은 맥락에서 바퀴로 굴러가는 어떤 것을 아이가 빵빵으로 인식하면 버스도 빵빵, 승용차도 빵빵, 트럭도 빵빵이 되고 엄마 외의 어떤 여자가 이모이면 성인 여자는 친이모든 옆집 누나든 모두 이모가 되기도 합니다. 이뿐이 아닙니다. 유아는 뭐든 쉽게 하기 위해 발음이며 낱말의 형태며 뭉개거나 왜곡하는 일도 허다합니다. 우리가 잘 아는 뽀뽀(입맞춤), 까까(과자), 꼬까(옷이나 신발), 때때(옷이나 신발) 등이 좋은 예이며 그 외에도 헬리콥터는 '허거더'가 되고 파인애플은 '바나바'가 되기도 합니다.

단어만이 아니라 문장에서도 마찬가지입니다. 엄마가 유아에게 "사과, 복숭아, 감, 포도 중 뭐가 좋아?"라고 물으면 십중팔구 '포도'라고 대답합니다. 같은 유아에게 이번에는 "포도, 감, 복숭아, 사과 중 뭐가 좋아?"라고 물으면 어떨까요? 방금 포도를 좋아한다고 했으니 여전히 포도라고 대답할까요? 아닙니다. 이번에는 십중팔구 '사과'라고 대답합니다. 유아는 질문의 내용에 따라 자신이 무엇을 가장 좋아하는지를 생각해서 대답하는 게 아닙니다. 그저 엄마가 나열한 것들 중에서 가장 가까운 것, 즉 제일 마지막에 들어 기억에 남은 것을 그냥 말하는 겁니다.

유아의 두뇌는 이처럼 아직은 제일 가까운 것만을 처리할 수 있는데 이와 비슷한 현상은 대답이 아니라 아이가 스스로 만드는 문장에서도 나타납니다. 그래서 성인에게서는 거의 들을 수 없는 다음과 같은 문장 구조가 흔히 나타납니다. "제가요. 집에요. 갔는데요. 엄마가요. 떡을요. 줬어요." 각 문장에 각각 하나의 메시지만 들어 있는 것을 확인하실 수 있습니다. 아이의 두뇌로 그 이상의 메시지를 넣기는 버겁기 때문입니다. 이렇다보니 아이의 문장은 세련되거나 복잡할 수 없습니다. 아이는 지극히 단순한 문장으로만 말합니다.

지금까지 말씀드린 것을 종합하면 고기를 보고 달라는 의미로 "꼬기"처럼 말하는 유아는 세상에 널렸지만 "소고기는 역시 꽃등심이지. 난 육즙이 적당히 있는 게 좋으니까 미디엄으로 구워 주고 간은 단순한 게 좋으니까 양념장보다는 그냥 소금

간으로 부탁해. 소고기는 신이 인류에게 내린 최고의 축복이라고 생각해."라고 말하는 유아는 한 명도 없습니다. 하지만 성인이 말하는 방식은 유아스러운 '꼬기'에서부터 방금 소개한 복잡한 문장을 양극단으로 하여 그 사이에 존재하는 모든 스펙트럼을 아우릅니다. 아이는 이렇게 단순하고 성인은 이렇게 복잡합니다.

이렇게 단순하다 보니 아이가 생성하는 간단한 문장은 오늘도 내일도 똑같거나 매우 비슷한 문장으로 반복될 가능성이 큽니다. 오늘 꽃등심을 보고 달라며 "꼬기"라고 말한 아이는 내일도 삼겹살을 두고 똑같이 "꼬기"라고 말합니다. 게다가 아이가 가령 "꼬꼬"처럼 잘못 말하면 성인은 종종 "꼬기?"라고 바로잡아 말하며46) 고기도 줍니다. 그럼 내일도 모레도 똑같이

---

46) 아이가 잘못 사용한 언어를 성인이 늘 교정해 주는 것은 아닙니다. 해 줄 때도 있지만 아이가 잘못 말한 것에 신경 쓰지 않고 그냥 넘어가는 경우가 훨씬 더 흔합니다. 또 성인의 언어 교정을 아이가 거부하는 것처럼 보이는 사례도 많습니다. 이런 것들 때문에 일부 사람들은 아이는 언어 교정이 필요 없으며 교정 없이도 언어를 습득한다고 주장하기도 하는데 나무만 보고 숲은 보지 못하는 주장입니다. 아이가 잘못 사용하는 언어가 장기적으로는 성인의 올바른 언어로 동조화되는 것에서 알 수 있듯 교정은 부지불식간에 간접 교정의 형태로라도 반드시 일어납니다. 교정이 일어나지 않는다면 아이의 언어는 동조화되는 대신 나름의 피진(pidgin)이나 크리올(creole)로 발전하게 됩니다. 피진이란 서로 다른 언어를 사용하는 집단들이 어울릴 때 의사소통을 하기 위해 나타나는 일종의 조잡한 임시 언어이고 이것이 더 발전해 그 나름으로 체계적인 '새로운' 언어로 자리 잡으면 크리올입니다. 교정이 없이 배우는 언어는 반드시 피진이 되고 크리올이 됩니다. 즉 아이가 부모로부터 배우는 언어가 그 나름의 피진이나 크리올로 되지 않고 원래의 목표 언어로 제대로 발달한다면 교정에 의한 동조화가 일어났다는 증거인데 유아가 책을 보고 공부하여 스스로 교정할 리가 없으니 그 교정은 어쨌든 성인을 통해 이뤄진 것입니다. 이처럼 교정은 언어 습득에서 반드시 있어야 하는 과정입니다. 아이는 언어 교정

교정됩니다. 유사한 교정이 반복되니 "꼬꼬"는 언젠가는 반드시 "꼬기"로, 그리고 나중에는 "고기"로 교정됩니다. 특히 아이는 언어 데이터의 샐리언스가 성인에 비하면 매우 크기 때문에 일단 교정 과정이 시작되면 그것이 두뇌 신경망으로 완성되기까지 그리 많은 반복 횟수가 필요하지 않습니다.

이런 아이와 달리 성인은 일상의 스펙트럼이 엄청나게 복잡하고 그 복잡한 스펙트럼을 표현하는 어휘며 문장 구조도 복잡·다양합니다. 따라서 고기를 먹는 상황이 반복되더라도 오늘 말한 콩글리시 문장과 똑같거나 똑같지는 않더라도 매우 유사한 문장을 내일도, 모레도 다시 반복해서 말하게 될 가능성은 제로에 가깝습니다. 같거나 비슷한 콩글리시 문장을 반복해 말하지 않으니 오늘 이뤄진 교정 역시 반복되지 못합니다. 그럼 그 교정 내용이 두뇌에 장기 기억으로 저장되기 어렵습니다. 장기 기억으로 저장되지 못하는 지식이나 능력은 물거품이 되어 사라집니다. 결국 한 번 말했던 콩글리시 문장을 올바른 영어로 말할 수 있는 능력도 사라져서 얻지 못합니다.

*　　　*　　　*

지금까지 영문 생성 훈련을 시작하는 모든 사람들이 직면하지 않을 수 없는 4가지 방해 요인들을 살펴보았습니다. 그리고 4가지 요인 모두가 영어 자체와 무관하거나 무관하지는 않더라도 영어 공부를 열심히 해서 해결할 수 있는 문제가 아님도 확인했습니다. 읽기 능력 습득과 달리 말하기 능력 습득은 본질적으로 공부의 문제가 아닌 환경의 문제이며 따라서 언어 습득

을 거부하는 것이 아닙니다. 그저 그 나이 때 두뇌로는 대화의 모든 면을 동시에 처리할 수 없으므로 가장 중요한 대화의 '의미'에 집중하느라 문장의 잘못된 '형식'의 교정에는 신경을 쓰지 못해서 엄마 아빠가 직접 고쳐 주는 것을 당장은 받아들이지 못하는 것뿐입니다.

이 일어날 수밖에 없는 환경 요건들을 갖추느냐 못 갖추느냐가 핵심인 까닭입니다.

문제는 공부 외의 다른 대처 방안을 딱히 알지 못하는 한국의 영어 학습자들이 공부로는 해결할 수 없는 앞의 4가지 방해 요인들을 어떻게 제거할 것이며 또 그 후에 언어 습득 환경은 각자 집의 방구석에서 어떻게 구현할 것인가입니다. 한없이 복잡하고 어려울 것만 같은 이 문제들을 해결하는 방법이 과연 있을까요? 물론 있습니다. 단칼에 그렇게 할 수 있습니다. 일명 '고르디아스의 매듭' 나갑니다.

7. 영어 습득 환경 구축을 위한 교재 선택법 1

전설에 의하면 고대 프리기아(Phrygia) 왕국에는 왕이 없었습니다. 어느 날 텔메소스(Telmessos)에 있던 신전으로부터 "이후로 우마차를 몰고 텔메소스로 들어오는 첫 번째 사람을 왕으로 삼으라."는 신탁(oracle)이 떨어집니다. 그리고 마침내 신탁에 해당하는 첫 번째 사람이었던 시골 농부 고르디아스(Gordias)를 사람들은 프리기아의 왕으로 받들었습니다. 나중에 고르디아스가 사망하자 왕위를 물려받은 그의 아들 미다스(Midas)[47]는 아버지의 우마차를 프리기아의 신 사바지오스(Sabazios, 그리스 신화의 제우스에 해당)에게 바치면서 고르디움(Gordium) 왕궁의 한 기둥에 매우 복잡한 매듭으로 묶었습니다.

세월이 흘러 BCE 4세기 무렵, 이번에는 "누구든 우마차가 묶인 복잡한 매듭을 푸는 이가 장차 아시아 전체를 다스리는 지배자가 될 것"이라는 내용의 신탁이 나옵니다. 이에 많은 인재들이 매듭 풀기에 도전했지만 성공한 사람은 아무도 없었습니다. 그리고 어느 날 알렉산드로스(Alexander the great, 356~323 BCE)가 고르디움에 입성합니다. 신탁에 관해 전해들은 알렉산드로스도 도전에 나섰는데 애를 써도 매듭이 풀릴 기미가 보이지 않자 그는 단칼에 매듭을 잘라 문제를 해결해 버

---

47) 손을 대는 모든 것이 금으로 바뀌었다는 전설의 그 미다스 왕 맞습니다.

렸습니다. 또 다른 일설에 의하면 매듭이 묶여있던 축을 뽑아서 문제를 해결했다고도 합니다. 어쨌든 이후 이 매듭은 고르디아스의 매듭(Gordian knot)[48]이라는 이름으로 알려지게 되었으며 너무나 뻔해서 오히려 누구나 그것이 해결책이 되리라 생각하지 못하는 해결책을 나타내는 용어가 되었습니다.

지금까지 보았던 층층의 문제들을 푸는 우리의 해법이 바로 이 고르디아스의 매듭의 해법과 비슷합니다. 사실을 말씀드리면 해법을 여러분 모두 이미 알고 있습니다. 다만 "바로 그게 해법이다!"라고 누군가 제시하고 증명하기 전까지는 그게 해법이 되는 줄을 모를 뿐입니다.

앞서 언급했던 모든 문제들을 해결해 주는 실마리는 교재입니다. 딱 한 권만 있으면 됩니다. 아마 '말하기 교재'라면 우리 대다수는 토익(TOEIC) 스피킹 어쩌고저쩌고, 오픽(OPIc) 어쩌고저쩌고 하는 수험서들을 떠올리게 되는데 그래서 실패하는 겁니다. 그런 책들은 잊으십시오. 우리가 이미 말하기를 잘하

---

48) 서양에 고르디아스의 매듭이 있다면 동양에는 쾌도난마(快刀亂麻), 혹은 난자수참(亂者須斬)이 있습니다. 지금의 중국에서 나중에 북제(北齊)의 초대 황제가 되는 고양(高洋, 529~559)이 비슷한 문제를 비슷한 방식으로 해결하면서 생긴 사자성어들입니다. 그가 아직 어렸을 때 형제들과 함께 아버지로부터 역시 복잡한 매듭을 풀라는 문제를 받았는데 다른 형제들이 매듭을 풀려고 끙끙대던 것과 달리 고양은 단칼에 매듭을 잘라 문제를 해결했습니다. 비슷한 말로 '콜럼버스(Columbus, 1450~1506)의 달걀'도 있을 정도로 이런 해결책의 전통은 면면합니다. 그런데 참고로 달걀 귀퉁이를 깨서 세로로 세우기는 콜럼버스보다 거의 1백여 년 앞서 건축가 필리포 브루넬레스키(Filippo Brunelleschi, 1377~1446)가 피렌체 대성당 돔 건설 설계와 관련하여 먼저 했습니다. 그러므로 사실은 '브루넬레스키의 달걀'이라고 부르는 편이 합당할 것입니다. 더욱이 사실 달걀 세로로 세우기는 귀퉁이를 깨지 않고도 시간만 좀 들이면 누구나 할 수 있습니다.

는 상태에서 저런 말하기 시험에 대비하려는 것이라면 관련 수험서를 선택하는 것은 옳습니다. 하지만 그게 아니라 말하기 실력 자체를 기르려는 것이라면 수험서는 번지수를 잘못 짚어도 한참 잘못 짚은 선택입니다. 왜 그런지는 좀 이따가 자연스럽게 밝혀질 것이므로 지금은 우리의 논의를 계속 진행하는 데에 집중합시다.

우리가 사용할 교재는 정보화 시대이니만큼 굳이 돈을 주고 살 필요도 없습니다. 인터넷만 잘 뒤져도 우리에게 필요한 교재를 무궁무진하게 얻을 수 있습니다. 다만 그 교재는 몇 가지 조건을 갖춰야 하므로 지금부터 나열하면서 설명해 보겠습니다.

일단 영한 대역이어야 합니다. 즉 영문과 한국어 번역이 함께 있어야 합니다. 당연한 말이지만 번역은 잘 되어 있을수록 좋습니다. 그런데 이 단순한 교재 하나가 원어민들의 나라에 가서 살아도 해결되지 않던 4가지 언어 환경 문제, 즉 '(1) 대화 상대가 없다 (2) 말할 콘텐츠가 없다 (3) 영문 생성 능력이 없다? (4) 적절한 교정이 없다' 모두를 한꺼번에 해결해 줍니다. 보겠습니다.

먼저 (1) 대화 상대 없음과 (2) 메시지(콘텐츠) 없음의 문제입니다. 사실 한 시간이 되었든 두 시간이 되었든 떠들 수 있는 적당한 메시지가 있는데 그게 완벽한 우리말 문장의 형태로 존재하면 콘텐츠 없음의 문제는 물론이고 대화 상대의 필요성까지도 말끔히 사라집니다. 가령 한 시간 동안 떠들 수 있는 분량의 콘텐츠가 한국어 문장의 형태(문장형 콘텐츠)로 존재한다면 누구나 말할 상대 없이도 한 시간 동안 거침없이 떠들 수 있습니다. 두 시간 분량이면 두 시간 동안을, 세 시간 분량이면 세 시간 동안을 막힘없이 떠들 수 있습니다. 문장형 콘텐츠를 이용해 떠드는 것은 책을 읽는 것과 다를 게 없는 까닭입니다. 그런데 영한 대역 교재의 우리말 번역 부분이 이 문장형 콘텐츠의 역할을 훌륭히 해냅니다.

우리는 영어 문장 생성을 할 콘텐츠가 필요할 뿐입니다. 그 콘텐츠가 반드시 스스로 창작한 것이어야 할 이유도, 콘텐츠를 담고 있는 한국어 문장 역시 스스로 만든 것이어야 할 이유도 없습니다. 그러므로 콘텐츠와 한국어 문장 모두 그저 다른 곳에서 가져오는 방식으로 두 문제를 해결하면 됩니다. 성인이 아이의 방식을 따라 할 수 없듯 아이는 이런 성인의 방식을 따라 할 수 없습니다. 이 방법은 오직 글을 읽을 수 있는 성인만 할 수 있습니다. 아이에게는 아이만의 방법이 있고 성인에게는 성인만의 방법이 있는 법이니 당연한 일이지만 대화 상대 없음과 대화 콘텐츠 없음의 문제를 해결한다는 본질에 있어서는 아이의 방법이나 이 성인의 방법이나 같습니다.

이제 성인은 수다쟁이가 아님에도 영어 말하기 능력 획득을 위해 자신의 성향에 역행해 수다쟁이가 되려고 애쓸 필요도 없습니다. 누구나 3시간은 물론이고 마음만 먹으면 10시간이라도 얼마든지 혼자 떠들 수 있습니다. 오히려 아이는 이런 긴 시간을 떠드는 게 불가능합니다. 또한 성인의 이 방법에서는 상대가 필요하지 않으니 말실수라도 하게 될까 두려워 할 이유도 없습니다. 시간이나 장소의 구애도 받지 않습니다. 새벽 두 시든 세 시든 내가 원하는 때에 원하는 만큼 오래 떠들 수 있습니다. 떠들 내용이 건전하든 야하든 그것도 눈치 볼 필요가 없으니 여러 가지로 참 편합니다.

(1) 말할 상대와 (2) 메시지(콘텐츠) 없음 다음의 문제는 '(3) 영문 생성 능력 부족'이었습니다. 그러나 사실 이 단계의 진짜 문제는 '능력 부족'이 아니라 '교정'이었음을 우리는 이미 분석

하였습니다. 만약 우리가 스스로 콘텐츠를 만들어 내고 그 콘텐츠를 영문으로 표현한다면 이 교정 문제는 오로지 원어민 교정 전문가가 있어야만 해결할 수 있는 까다로운 문제가 되어버립니다. 그리고 대한민국의 영어 학습자들 중에서 이 문제를 해결하기 위해 상당한 비용을 들여 원어민 교정 전문가를 고용할 수 있는 사람은 거의 없습니다. 즉 교정 문제는 해결이 사실상 불가능한 것이었습니다. 그러나 우리의 방법으로는 원어민 교정 전문가 자체가 필요 없습니다. 영한 대역이므로 가지고 있는 영문을 참고함으로써 우리의 콩글리시를 스스로 완벽하게 교정할 수 있기 때문입니다. 창작 콘텐츠를 포기했기에 가능한 일입니다.

영어 말하기 공부를 시작할 때 시중에서 흔히 듣게 되는 조언 중 하나는 자신이 평소에 자주 쓰는 말부터 영문화하는 훈련을 하라는 것입니다. 우리 식으로 바꿔 말하면 자신이 직접 창작하는 메시지, 즉 창작 콘텐츠부터 영문화하라는 것입니다. 나의 입에서 가장 빨리 영어가 나올 수 있는 전략이므로 일리가 전혀 없는 조언은 아닙니다만 이런 식의 접근은 세 가지 문제를 일으킵니다.

첫째, 훈련을 시작하기 위해서는 일단 자신이 평소에 반복적으로 자주 쓰는 한국어 문장 콘텐츠들을 모아야 하는데 이것부터가 상당한 분량의 일이 되어버립니다.

둘째, 어찌어찌 해서 본인이 자주 쓰는 한국어 문장 콘텐츠들을 모았다고 해도 그래 봐야 보통 사람이라면 3시간을 계속 떠들 정도의 분량이 나오기는 어렵습니다. 3시간은 고사하고 아마 1시간도 안 될 겁니다. 설령 3시간이 넘는 분량이 나왔다 해도 문제는 해결되지 않습니다. 어렵사리 모은 분량을 다 써 버린 뒤에는 결국 원점으로 돌아와 영문 생성용 콘텐츠의 부족에 시달리게 될 뿐이기 때문입니다. 즉 이런 식으로는 겨우 생존 영어 수준의 말하기만을 할 수 있게 되며 그 이상의 실력을 얻기에 필요한 만큼 충분히 오랜 시간 영문 생성 훈련을 할 수는 없습니다. 게다가 지금 단계에서 드릴 말씀은 아닙니다만 영어 실력이 돈이 되려면 내가 자주 쓰는 콘텐츠보다는 남이 자주 쓰는 콘텐츠를 쉽게 영문화할 수 있는 능력이 훨씬 더 필요합니다.

셋째, 다시 백 번 양보해서 이번에는 3시간이 아니라 수백 시간 분량의 콘텐츠와 한국어 문장을 모으는 데 성공했다고 합시다. 그래도 원어민 교정 전문가 없이는 그 콘텐츠로 내가 만들어내게 될 엉터리 콩글리시 영문을 교정 받을 방법이 사실상 없다는 문제와 맞닥뜨리게 됩니다. 교정이 없으면 말하기 능력 습득도 없습니다. 계속 콩글리시를 말하는 훈련을 하면서 교정을 받지 않으면 결국에는 콩글리시를 유창하게 말하는 능력을 얻게 되지 올바른 영어로 말하는 능력을 얻게 되지는 않습니다. 피진(pidgin)과 크리올(creole)의 존재가 그 증거인데 저 둘에 관해서는 앞 장의 주석 46번에 설명해 두었으니 참고하시기 바랍니다. 또 피진과 크리올까지 언급하지 않더라도 해외에 나가서 살고 있는 교포 1세대 대다수, 그리고 한국으로 들어와 살고 있는 1세대 귀화 외국인 대다수(TV에 나오는 한국말 잘하는 극소수의 외국인들 말고) 역시 여기에 해당합니다. 모두 교정의 부재, 혹은 부족으로 인해 벌어지는 일들입니다. 이만큼 교정은 필수인데 창작 콘텐츠로는 이런 필수 과정을 해결할 수 없습니다.

하지만 우리처럼 영한 대역 콘텐츠를 빌려오면 이 극복 불가능해 보이던 문제들이 별안간 사라집니다. 영한대역 교재를 쓰는 우리에게는 이미 콘텐츠에 해당하는 한국어 문장뿐 아니라 완벽한 영문도 있으니까요. 따라서 한국어 번역문을 콘텐츠로 활용해 우리는 나름대로 엉터리 콩글리시를 만드는 훈련을 하고 그 엉터리 영문을 이 완벽한 영문과 비교 학습하면 그것이 곧 교정이 됩니다.

일부 학자들은 교정이 언어 학습을 망치는 주범이라며 반대합니다. 이유를 들어 보면 교정을 받는 사람이 모욕감을 느끼기 때문에 언어 학습 자체를 꺼리게 된다는 것입니다. 크라센(Stephen Krashen, 1941~)도 '교정해 주는 것은 심각한 실수(a serious mistake)'라면서 언어 교정이 학습자를 방어적으로 만들어 전체 의사소통을 망치기 때문이라고 이유를 제시합니다.49) 캘리포니아 스테이트 폴리테크닉 대학(California State Polytechnic University)의 전정재에 따르면 제임스 브리튼(James Britton, 1908~1994)도 '구두 언어를 교정하면 그 사람을 모독하는 것'50)이 될 수도 있다고 말했다는데 같은 맥락의 이야기입니다. 언어는 다들 아이 때 배워서 일찌감치 마스터하는 것이기에 크라센 등이 말하는 '남이 해 주는 교정', 이른바 타가 교정은 아이 시절에 어른에게서 받던 것입니다. 따라서 어른이 어른의 언어를 교정하면 교정 받는 어른을 아이 취급하는 셈이 됩니다. 모욕이죠.

그러나 이는 교정과 교정 방식을 같은 것으로 혼동한 주장입니다. 교정은 여러 방식으로 이뤄질 수 있는데 남으로부터 직접 교정을 받을 때, 즉 타가 교정일 때는 모욕감을 느낄 수 있습니다만 내가 나에게 스스로 해 주는 교정, 즉 자가 교정일 때는 모욕감을 느낄 이유가 없습니다. 교정은 오직 타가 교정

---

49) Stephen D. Krashen, *Principles and Practice in Second Language Acquisition*, 2009 the internet edition from 1982 paper edition, p.72

50) 전정재, '독서의 이해' p.99 (한국방송출판, 2001)

방식밖에 존재할 수 없다는 고정관념 때문에 모욕감이 필수로 동반된다는 오해를 하게 된 것입니다. 자가 교정이라면 당연히 이 위험 자체가 없으므로 타가 교정 방식일 수밖에 없는 창작 콘텐츠에서는 발생하게 되는 문제가 깔끔하게 해결되는 것입니다. 참고로 수많은 연구·조사 결과 현대 외국어 습득학계의 중론은 심지어 타가 교정조차도 도움이 된다는 것입니다.[51]

이제 마지막으로 똑같거나 적어도 상당히 비슷한 문장이 반복적으로 훈련되고 교정되어야 하는 '적절한 교정'의 문제가 남았습니다. 창작 콘텐츠의 경우, 이 문제 역시 해결할 방법이 요원했습니다. 기억나실 겁니다. 일상의 스펙트럼, 그리고 인식의 스펙트럼이 좁아서 비슷한 상황에서는 똑같거나 비슷한 표현을 반복하게 되는 아이와 달리 스펙트럼이 넓은 성인은 비슷한 상황에서조차 비슷한 표현을 반복해 말하는 경우는 거의 없기 때문이라고 이미 설명드린 바와 같습니다. 그런데 영한 대역 교재는 이 문제 역시 매끄럽게 해결합니다. 교재를 반복 학습하기만 하면 되는 까닭입니다.

이제 아마 이 책을 읽고 있는 분들의 상당수는 이 영한 대역 교재를 어떻게 사용하여 훈련해야 할지 이미 파악하셨을 겁니다. 어이없을 정도로 단순하고 '영작'이라는 이름으로 이미 너무나도 친숙한 방법이어서 너털웃음이 나온 분들도 계실지 모르겠습니다. 그래서 제가 앞에서 '고르디아스의 매듭' 나간다고 말씀드렸던 것입니다. 그러나 누군가(아마도 알렉산드로스)의 말처럼 "알고 나면 간단한 일이지만 알기 전에는 아무도 이

---

51)　… current research has switched from addressing whether CF(corrective feedback) works to examining what kind works best. — Rod Ellis, *Corrective Feedback and Teacher Development*, (L2 Journal, 2009) (source: http://escholarship.org/uc/item/2504d6w3)

렇게 할 생각을 하지 못했던 것" 역시 사실입니다. T.S 엘리엇 (T. S. Eliot, 1888~1965)이 그의 시 리틀 기딩(Little Gidding)에서 노래했던 것처럼 '모든 탐사가 끝나면 우리가 도착하게 되는 곳은 출발점이고 처음으로 그곳에 대해 알게 되는'52) 것입니다.

그런데 그렇다고 당장 이 책을 덮고 여러분 단독으로 영문 생성 훈련의 실천에 나서기에는 아직 이릅니다. 아시다시피 여러분을 포함하여 한국의 영어 학습자들은 내내 영작 공부 방식을 잘 알고 있었고 그에 따라 영작 공부에 도전했으나 절대 다수가 실패했습니다. 저 역시 그런 실패자들 중 하나였습니다. 그러므로 이번에도 영작 공부에 임하듯 그렇게 임했다가는 십중팔구 실패합니다.

형식에 있어서 우리의 방식은 기존의 영작과 동일합니다. 즉 형식적으로는 우리 방식이 곧 영작의 방식입니다. 그런데 영작 공부에 도전하는 사람들은 대부분 실패하는 반면 우리의 방식에서는 모두가 반드시 성공한다는 차이가 있습니다. 저도 6개월 만에 성공했습니다. 그리고 그 차이를 만들어내는 악마는 역시 이 책에서 계속 이어질 디테일들 속에 숨어 있습니다.

---

52) And the end of all our exploring Will be to arrive where we started And know the place for the first time. — T.S. Eliot의 시 Little Gidding의 일부입니다.

8. 영어 습득 환경 구축을 위한 교재 선택법 2

영작 방식의 교재라면 언뜻 한국어 문장과 그에 대응하는 영어 문장만 있으면, 즉 영한대역 형식이기만 하면 될 것 같습니다. 하지만 이 조건만 충족해서는 영어 말하기 능력 습득의 여정이 끊임없이 공부로 환원될 뿐입니다. 성인의 영작 학습이 대부분 실패로 끝나는 것도 그것이 끊임없이 공부로 환원되어서입니다. 반면에 아이들이 성인에 비하면 한참 뒤떨어지는 두뇌 능력으로도 성인을 압도하는 언어 습득 성과를 얻을 수 있는 이유 중 하나는 그들의 언어 습득이 결코 공부로 환원되지 않아서입니다.

언어 습득이 전적으로 공부의 문제가 될 때, 여러분에게 상위 1%의 학습 두뇌, 노력 두뇌가 있어서 이를테면 영작 공부를 높은 효율로 끝까지 완수할 수 있지 않는 한, 혹은 돈의 뒷받침이 있어서 원래는 여러분이 홀로 해결해야 할 두뇌 능력이나 노력 능력에서 상당 부분 도움을 받지 않는 한 여러분의 영어 말하기 능력 습득은 필연적으로 실패합니다. 언어 습득을 공부만으로 해결하지 않고 모국어 습득 방식대로 환경 조건을 갖춰 해결하려 할 때에만 뛰어난 학습 두뇌, 노력 두뇌, 그리고 돈을 갖고 있지 않은 사람들도 누구나 영어 말하기 능력 습득에서 성공할 수 있습니다.

성인과 달리 아이의 경우에는 이 공부로의 환원을 막는 장치를 기본 장착하고 있습니다. 따라서 성인도 아이처럼 언어 습득에서 성공하고자 한다면 이 장치를 반드시 장착해야 합니다.[53] 그리고 그게 불가능하다면 최소한 흉내라도 내려고 노력해야 합니다. 문제는 성인 학습자 대다수가 이 장치의 장착을 의식적으로 거부한다는 데에 있습니다. 도대체 어떤 장치이기에 성공이 보장되는데도 성인들은 거부할까요?

그 장치의 이름은 '끌림'입니다. 끌림의 정체에 대해서는 책이 진행되면 차차 드러나는데 일단은 내가 뭔가를 '진정으로' 재미있어 하거나 좋아해서 그것으로 '지속적으로' 돌아가고 싶은 상태로 이해하시면 되겠습니다. 즉 성인은 그런 끌림 있는 콘텐츠로 된 교재를 사용해야 한다는 것이 영어 환경 구축을 위한 두 번째 교재 선택법입니다.

아시다시피 이런 식의 조언은 이미 모르는 사람이 없습니다. 나온 지 오래되었기에 식상하기까지 합니다만 그럼에도 저는 이 조언을 반복하지 않을 수 없습니다. 왜냐면 한국에서 이 조언을 따르는 사람들은 여전히 거의 없기 때문입니다. 학교든 도서관이든 독서실이든 가서 다들 뭘 들고 영어 공부를 하는지 보십시오. 이게 귀찮으면 평소 본인이 뭘 가지고 영어를 공부하는지 생각해 보셔도 됩니다. 90퍼센트 이상이 참고서나 수험서로 영어를 공부한다는 것을 깨닫게 될 것입니다. 이는 대한민국에서 수십 년째 가장 많이 팔리는 영어 책들이 죄다 저런 참고서, 수험서라는 사실로도 알 수 있습니다. 참고서나 수험

---

53) 물론 성인은 이 장치를 장착해도 공부를 어느 정도는 해야 합니다. 성인은 아이와 여러 가지로 다르기에 공부를 아예 안 할 수는 없습니다. 가령 아이는 한 덩어리로 줄줄 흘러나오는 원어민의 발화를 그저 귀로 듣는 것만으로도 얼마 지나지 않아 그 속에서 개별 단어를 분간해내고 그 뜻도 대부분 유추해낼 수 있습니다만 성인은 그럴 수 없거나 할 수 있더라도 그 효율이 아이에 비해서는 크게 떨어집니다. 그래서 성인은 효율적이려면 텍스트를 봐야 하고 사전을 찾아야 합니다.

서를 들지 않은 사람도 기껏 사용하는 교재가 영어 신문이거나 영화나 드라마 대본 정도입니다. 끌리는 콘텐츠로 된 교재를 사용하라는 조언이 통하지 않고 있는 것입니다. (왜 영화나 드라마 대본조차 반드시 끌리는 콘텐츠라고 할 수 없는지는 끌림의 정체가 드러나면 자연스럽게 알 수 있게 됩니다.)

물론 사람들이 이러는 데에는 이유가 있습니다. 한국 영어 학습자들에게 영어는 언어이기 이전에 좋은 성적을 받아야 하는 과목이어서입니다. 공부이고 시험에 대비해야 하는 것이기에 수험서를 벗어나기가 구조적으로 쉽지 않은 것입니다. 게다가 시중에는 시험 효과(testing effect)라는 것을 들어서 외국어 공부에서도 수험서 위주의 학습이 나쁘지 않다는 식으로 말하는 학습법들마저 있습니다.

시험 효과란 시험을 본 내용을 더 잘 기억하는 기억 증진 효과이며 여러 실험을 통해 그 실체가 입증되었습니다. 실험으로 입증된 것이라니 그럼 이 시험 효과라는 것을 믿고 수험서 위주의 전통적 학습 방법을 고수해도 괜찮을까요? 결국 흔히 들을 수 있는 말, 즉 '관건은 교재가 아니라 얼마나 열심히 하는가이다. 따라서 수험서로도 더 열심히 하는 사람이 있다면 오히려 성공하는 쪽은 그 사람'이라는 주장은 맞는 말일까요?

8.1. 시험 효과?

시험 효과의 좀 더 정확한 다른 이름은 인출(retrieval) 효과입니다. 여기서 인출이란 배운 내용을 기억에서 끌어내 재생산하는 것을 말하는데 단서가 주어진 상태에서 하는 인출은 재인(recognition)이라 하고 단서가 주어지지 않은 상태에서 하는 인출은 회상(recall)이라 합니다. 방금 설명이 선뜻 와닿지 않으신다면 객관식 시험을 풀 때의 인출이 재인이고 주관식 시험을 풀 때의 인출은 회상이라고 보시면 됩니다.

인출 효과를 한 마디로 설명하면 백문백견불여일행(百聞百見不如一行)입니다. 백 번을 듣고 보는 것보다 직접 한 번 실행해 보는 것, 즉 인출해 보는 것이 배우는 데는 더 낫다는 것이니 맞는 말입니다. 이를테면 매듭 묶는 법을 아무리 영상으로 반복 시청해도 막상 묶으라면 못 하지만 직접 한 번 묶어보면 금방 할 수 있게 되는 것과 같은 원리이니까요. 그러나 여기에서 짚고 넘어가지 않을 수 없는 점은 시험 효과라는 이름 때문에 헷갈릴 수 있지만 인출 효과를 이용하기 위해 반드시 시험에 의존해야 할 이유는 없다는 것입니다. 방금 예로 든 매듭 묶는 법도 시험과는 아무런 상관이 없고 직접 영문 생성 훈련을 하는 우리의 방법도 이 인출 효과와 접점이 있습니다만 역시 시험과는 무관합니다. 즉 엄밀히 말해 인출 효과는 시험 효과가 아닙니다.

그렇다면 인출 효과 자체는 얼마나 신뢰할 수 있을까요? 인출은 과연 기억을 증진하는 효과만 있을까요? 인출 유도 망각 (retrieval-induced forgetting) 현상은 그렇지 않을 수 있음을 시사합니다. 인출 유도 망각이란 인출해 본 내용은 더 잘 기억되는 대신 그 외의 다른 기억은 더 쉽게 망각되는 현상에 붙여진 이름입니다. 즉 한 기억의 인위적 증진은 다른 기억의 망각이라는 희생을 딛고 이뤄진 것일 수 있다는 말입니다.

이 인출 유도 망각 효과가 연쇄적으로 작용하면 인출 효과를 모조리 상쇄하여 없애버릴 수도 있습니다. 가령 시험을 통해 10개 항목을 인출해 본다고 할 때 증진된 처음 1의 기억이 뒤를 이은 2의 인출에 의해 망각되고 2는 다시 3의 인출에 의해 망각되는 연쇄 반응이 일어난다면 비록 10번이나 인출 훈련을 했어도 제일 마지막 10번을 제외한 나머지 9개가 인출 유도에 의해 망각될 수 있습니다. 그리고 최종적으로 시험이 끝난 뒤 시험과 무관한 다른 뭔가를 인출했을 때는 마지막 10번째의 기억마저도 날아갈 수 있습니다. 저도 때때로 이 인출 유도 망각을 겪곤 합니다. 분명히 방금 전에 회상하는 데 성공했던 낱말이나 사람의 이름이 바로 직후에 다시 떠올리려고 하면 도무지 생각나지 않는 적이 때때로 있습니다. 저도 나이가 적지 않기에 노화의 탓일 수도 있겠지만 방금 전에 인출해 본 바로 그 낱말이나 이름이 생각나지 않는다는 점에서는 분명히 인출 유도 망각입니다.

흔히 시험 공부는 휘발성이어서 시험이 끝나고 돌아서면 다 잊게 된다는 말을 많이들 들으시고 직접 경험도 하셨을 텐데 이런 이유 때문일 수 있습니다. 그리고 이는 시험 본 것을 더 잘 기억하게 된다는 시험 효과론자들의 주장과는 상반되는 부분입니다. 어쩌면 인출 효과마저도 그 인출이 연쇄적일 수밖에 없는 시험이라는 맥락에서는 힘을 제대로 쓰지 못하는지도 모르는 것입니다. 시험(인출) 효과론이 생각처럼 견고하지 못할 수도 있다는 의미인데 그렇다면 시험에 관하여 시험 효과론과 다른 견해는 없을까요?

8.2. 표면 배움과 몰입 배움

1976년 스웨덴의 마르톤(Marton)과 샐료(Säljö)의 연구 이래로 교육심리학에서는 배우는 스타일을 표면 배움(surface learning)과 몰입 배움(deep learning)으로 나누고 있습니다.

표면 배움은 말 그대로 배움이 표면적으로만 이뤄지고 깊이 파고들지 못하는 배움입니다. 알게 된 개별적 사실들이 서로 연관되는 깊이에는 이르지 못하여 고립적으로 두뇌에 머무르는 데 그치죠. 이는 표면 배움의 목적이 배움 자체에 있는 것이 아니라 그로 인해 주어지는 어떤 보상이나 처벌의 회피 등 배움 외적인 것에 있기 때문에 벌어지는 일입니다. 그 외적 목적이 달성될 정도 이상으로는 학습을 이어나갈 이유가 없는 것이죠. 시험 공부가 대표적인 표면 배움인 이유입니다. 우리가 시험을 보는 이유는 합격 가능 점수를 얻는 것이지 배움 자체에 파고드는 것이 아니니까요. 그래서 시험 공부에서 시험 범위 밖의 것을 공부하는 사람은 아무도 없습니다. 범위 안의 것들만, 그중에서도 시험에 나올 만한 것들만 공부합니다. 당연히 공부하는 내용은 파편화됩니다. 기억이 그물망처럼 서로 연결되는 것은 그 기억의 장기 지속성에 결정적 영향을 미치므로 이렇게 파편화되고 고립된 기억은 오래 가지 못합니다. 이 역시 시험이 기억에 도움이 된다는 시험 효과론의 주장과는 상반됩니다.

이와 달리 몰입 배움(deep learning)은 표면 배움을 아우름은 물론이고 그보다 더 넓고 깊게(deep) 파고드는 배움입니다. 몰입 배움은 배움의 동기가 보상이나 처벌의 회피처럼 배움 외적인 것이 아니라 배움의 보람이나 재미 등 배움 그 자체입니다. 대표적인 것으로는 스스로 좋아서(즉 끌림) 하는 공부나 연구가 있습니다. 이런 배움을 하는 사람들은 시험과는 상관이 없으므로 배움에 있어 어떤 범위나 제한이 없음은 물론이고 심지어 배우는 분야의 경계마저도 넘나드는 폭넓고 깊이 있는 공부를 하게 됩니다. 그렇다 보니 새로 배우는 지식들이 고립되지 않고 서로 그물망처럼 연결되며 그 결과 무작정 암기할 필요가 줄어들어 기억하기가 한결 쉬워집니다. 좋아서 배우는 것이라는 특성상 그 내용의 샐리언스가 표면 배움에 비해 훨씬 크다는 것도 쉬운 기억에 한몫을 함은 물론입니다.

몰입 배움은 기억 증진에만 도움이 되는 것도 아닙니다. 몰입 배움을 통해 형성되는 지식 그물망은 여태 드러나지 않았던 숨은 패턴을 드러내거나 알려진 적이 없던 내용 혹은 아이디어를 불현듯 떠오르게 하는 등 표면 배움으로는 얻기 힘든 수확을 가능하게 합니다. 왜냐면 우리가 흔히 창의력, 직관 혹은 통찰이라고 모호하게 알고 있는 것이 사실은 지식들이 고립되지 않고 그물망처럼 연결되었을 때 나타나는 현상이기 때문입니다. 당연히 그물망화가 고도화하고 확장할수록 뭔가를 분석하고 종합하는 능력도 나아질 수밖에 없습니다.

시험에 대하여 시험 효과론의 시각과 배움 스타일(표면 배움 대 몰입 배움)의 시각 사이에 이토록 커다란 격차가 발생하는 이유는 전자는 숲에 있는 나무 한 그루(인출 효과)에 대한 이야기이고 후자는 숲 전체에 대한 이야기이기 때문입니다. 시험 효과론은 시험을 평가와 변별로만 보지 말고 인출 효과를 근거로 하는 학습 증진의 수단으로도 보자는 입장입니다. 이는 언뜻 보기에는 시험을 한 측면에서만 바라보지 말고 다양한 측면에서 보자는 이야기처럼 들립니다만 사실은 평가와 변별이라는 숲 전체를 바라보는 관점을 인출 효과라는 나무 한 그루를 바라보는 관점으로 좁히는 것입니다. 그러니 인출 유도 망각이라는 숲의 또 다른 나무에 의해 간단히 그 효과에 의문 부호가 붙는 것입니다.

이처럼 인식의 전환은 물론 좋은 것입니다만 그 전환이 확장인지 축소인지를 예의 주시하지 않으면 안 됩니다. 결국 우리가 아무리 인식을 전환하더라도 그게 축소 전환이면 안 하는 것만 못할 수도 있습니다. 더욱이 아무리 수십 수백 번 인식 전환을 하며 이 나무, 저 나무 옮겨 다니더라도 시험에서 평가와 변별이라는 본질(숲)이 사라지는 것은 아니므로 우리는 여전히 시험을 그 본질의 측면에서도 살펴볼 필요가 있는 것입니다.

평가와 변별로서의 시험을 우리의 주요 관심사인 영어 말하기 능력 습득과 연결 지어 생각해 봅시다. 이미 우리는 앞에서 한국인 학습자가 갖기 쉬운 이른바 '원어민 환상'을 깬 바 있습니다. 원어민의 언어 구사력은 우리의 상상만큼 대단한 것은 아니어서 평균적으로는 일상어를 술술 구사하는 수준이거나 그 아래이지 그보다 높지는 않다는 내용이 기억나실 겁니다. 이것은 영미권만의 일이 아니며 한국도 마찬가지입니다. 우리 한국어 원어민들도 고정적으로 반복하여 사용하다시피하는 일상어를 벗어나면 틀린 문장들을 구사하는 빈도가 눈에 띄게 증가하기 때문입니다. 제가 주로 인터넷으로 불과 몇 분 만에 수집한 예문을 몇 개 보시겠습니다.

1) 깨진 거 산 줄 알고 깜빡했네.
2) 우리가 500일을 함께한 지 500일이 되었어요.
3) 같은 값이면 싼 걸 사죠.
4) 왜 어린 계집애 하나에게 나이 먹을 만큼 먹은 어른들이 휘둘리는 꼴이라니.
5) 네가 하는 이야기가 상대방에게 놀라움을 자극한다.
6) 제가 오늘 여러분 앞에 선 이유는 책 한 권을 소개해 드리기 위해서 이 자리에 섰습니다.
7) 그 프로듀서의 계획은 노래의 저작권료를 지급받아 소송 비용을 충당하려고 했었다.
8) 아내가 빚진 것을 채권자들이 직장에 찾아올 때 알아차리지 못했다.

9) 길어지는 절차가 당의 혼란에 전혀 도움이 되지 않는다는 것을 모든 구성원이 알고 있을 텐데 길어지는 이유가 뭔지 좀 궁금하다.[54]

첫 부분은 정말 깜빡해서 한 말실수들이지만 뒤로 갈수록 작정하고 임했어도 틀린 문장으로 말하는 사례들입니다. 특히 8번 문장은 신문에 실린 기사에서 따온 것이고 마지막 9번 문장은 최고 학벌의 어느 유력 정치인이 심지어 방송 카메라 앞에서 한 말입니다. 물론 별다른 훈련을 받지 않고도 항상 완벽한 문장으로 말하고자 하는 바를 깔끔하게 전달하는 사람들도 없지는 않겠습니다만 그 수는 매우 적습니다. 즉 저를 포함하여 원어민도 무수히 틀린 문장을 말하며 이것이 원어민 모국어 구사력의 세계적 실상입니다.

이제 우리가 주목해야 할 점은 정확히 말하는 소수의 사람들뿐 아니라 숱하게 틀린 문장을 말하는 저 절대 다수의 사람들 역시 여전히 원어민이라는 사실입니다. 언어의 이상은 질서정연한 코스모스(cosmos)겠지만 현실은 혼돈의 카오스(chaos)와 코스모스의 중간 어디인 것입니다. 그리고 아이가 성인에 비하면 한참 뒤떨어지는 두뇌 능력으로도 어떤 언어든 모국어로 습

---

54) 올바르게 고치면 다음과 같습니다. → 1) 깨진 거 산 줄 알고 깜짝 놀랐네. 2) 우리가 500일을 함께했어요. 혹은 우리가 함께한 지 500일이 되었어요. 3) 같은 값이면 품질이 좋은 걸 사죠. 4) 왜 어린 계집애 하나에게 나이 먹을 만큼 먹은 어른들이 휘둘리는 것이냐. 혹은 어린 계집애 하나에게 나이 먹을 만큼 먹은 어른들이 휘둘리는 꼴이라니. 5) 네가 하는 이야기가 상대방에게 놀라움을 준다. 6) 제가 오늘 여러분 앞에 선 이유는 책 한 권을 소개해 드리기 위해서입니다. 7) 그 프로듀서의 계획은 노래의 저작권료를 지급받아 소송 비용을 충당하는 것이었다. 8) 아내가 빚진 것을 채권자들이 직장에 찾아올 때까지 알아차리지 못했다. 9) 절차가 길어지는 것이 당의 혼란을 막는 데 전혀 도움이 되지 않는다는 것을 모든 구성원이 알 텐데 길어지는 이유가 뭔지 좀 궁금하다.

득할 수 있는 이유 중 하나도 언어를 숨 막히게 빈틈없는 질서를 갖춘 코스모스로가 아니라 좀 부실하고 여기저기 틀려도 부담 없는 카오스로 시작하기 때문인데 당연히 시험은 코스모스의 세계입니다.

우리 모두는 아무리 성인이더라도 어떤 언어를 새로 배울 때 적어도 그 언어의 관점에서만큼은 갓난아이와 같습니다. 아마 가장 질서 위주의 사회라면 군대를 빼놓을 수 없을 텐데요. 언어 습득을 코스모스로 시작하는 것은 갓난아이가 엄마 품이 아니라 규율이 엄격한 군대에서 삶을 시작하는 것에 비유할 수 있겠습니다. 당연히 아이의 생존 확률은 엄마 품(무시험)에서가 병영(시험, 즉 학교식 교육)에서보다 훨씬 더 높습니다. 이는 학교에서 배우는, 질서를 강요하는 영어가 그토록 어렵게 느껴지는 이유이기도 합니다. 물론 이 군대는 군인들이 갓난아이를 규율에 의해서만 키우는 것은 아니고 제법 돌봐주는 군대입니다. 학교나 학원에서도 교사와 강사가 규칙대로만 하지는 않으며 때때로 도움을 주는 것처럼요. 그럼 갓난아이라도 군대에 아예 적응을 못하지는 않을 것 같습니다. 그러나 이런 생각은 우리가 평가와 변별의 본질을 다시 한 번 짚어 보기 전까지만 통용됩니다.

평가와 변별의 사회는 군대 사회보다 훨씬 더 냉혹합니다. 평가와 변별은 평가와 변별만으로 존재하지 않으며 반드시 성공과 실패의 판가름과 함께하기 때문입니다. 성공과 실패의 판가름[55]을 하지 않을 거라면 평가와 변별이 존재할 이유가 없

---

55) 가끔 교사가 학생들의 학습 의욕을 높이기 위해 여러 범주를 만들고 그 학급의 모든 학생이 각각의 범주에서 1등을 하는 구조의 시험을 꾸며내기도 합니다만 이런 시험은 본문에서 말씀드린 인식의 축소 전환에 해당하며 시험의 본질인 변별의 개념에 어긋나 비록 시험이라는 이름을 달고 있을지언정 진정한 의미의 시험이라고

습니다. 이처럼 평가와 변별인 시험은 늘 성공과 실패를 선고합니다. 그러면 언제나 1등은 단 하나이고 성공자는 소수이며 나머지 다수는 실패자가 되는 신세를 면하지 못합니다. 시험이 없었더라면 비록 병영이지만 군인들의 보살핌 덕에 그 나름의 수준에서 적응해 나아갈 수 있는 아이조차 시험이 정한 정확성의 잣대에 미치지 못하면 실패자 선고를 받게 되는 것입니다. 그리고 이런 선고는 계속 반복됩니다. 아무리 적어도 1년에 4차례(학기 별 중간·기말 고사), 많으면 56차례 이상(매주 쪽지 시험과 학기 별 중간·기말 고사, 각종 모의고사 등)의 빈도로 계속됩니다.

한 차례의 실패 선고면 몰라도 지속해서 반복되는 실패 선고를 버텨내고 이겨낼 정신력을 가진 사람은 없습니다. 승패의 판가름이 없었더라면, 그리고 반복되지 않았더라면, 비록 툭하면 틀린 문장을 구사하는 사람으로 성장하더라도 그 나름의 수준에서 언어를 습득할 수 있었을 초보자가 그렇게 될 기회를 박탈당하고 낙오하게 되는 것입니다. 이 모든 것은 본래 경쟁과 무관하고 또 쉽기에 모두가 성공할 수 있었던 자연현상으로서의 언어 습득이 공부와 시험이라는 맥락 속에 떨어지면서 오직 경쟁에서 승리한 자만이 습득할 수 있는 것으로 질적인 변화를 일으켰기 때문에 벌어지는 일입니다.

시험은 심지어 1등 당사자에게도 마냥 유리하지만은 않습니

하기도 어려우므로 우리의 논의 대상이 아닙니다. 심지어 홀로 홈스쿨링을 하는 학생이 단지 본인의 학업 성취도를 측정하기 위해 혼자서 보는 시험도 겉보기에는 비교·평가가 아닌 것 같지만 사실은 과거의 학생 자신과의 비교·평가이자 결국은 전국의 모든 같은 학년 학생의 학업 성취와 비교·평가로 이어질 수밖에 없으므로 합격점(cut-off marks) 돌파 여부의 판단, 즉 성공과 실패의 판가름이라는 시험의 본질에서 벗어나지 않습니다.

다. 일단 아무리 1등 학습자라도 시험에 나오지 않을 문장들은 공부하지 않는다거나 공부하는 문장에서도 융통성보다는 정확성을 추구하게 되는 것은 다른 학습자들과 마찬가지입니다. 평가와 변별이라는 본질상 범위가 제한되고 그 범위 내에서 정확성을 강요하는 시험에서 다른 전략을 추구할 이유가 없기 때문입니다. 그런데 언어 습득에 도움이 되는 방식은 이와 반대인 '제한 없는 범위'와 '융통성의 추구'입니다. 원래 언어에는 범위가 있을 수 없고 처음부터 정확하려는 강박은 언어 습득에 독과 같기 때문입니다.56)

이처럼 시험 위주의 공부는 도움이 되는 언어 학습 방식과 정확히 반대의 방식을 추구합니다. 이는 결국 자신의 언어 습득 발전 가능성에 스스로 제한을 거는 것과 마찬가지이기에 장기적으로는 1등 학습자에게도 마냥 유리하지만은 않은 것입니다. 실제로 시험 위주의 교재에는 가령 We ain't tell nobody.조차 나오지 않을 테니 가장 실전의 영역인 말하기에서는 아무래도 득보다 실이 클 수밖에 없습니다. 그리고 지금까지 말씀드렸던 시험의 여러 본질들을 종합해 보면 시험이 학습에 미치는 가장 강력한 해악이 드러납니다. 바로 끌림의 무력화입니다.

8.3. 끌림 효과 대 의지 효과

원래라면 안 할 공부를 그나마 시험이라도 있으니 하게 된다는 분들이 적지 않습니다. 그런 분들에게는 시험이 공부에 부정적이라는 주장이 가슴에 와닿지 않을지도 모릅니다. 그러나

---

56) 그리고 어차피 100%의 정확성은 원어민 전문가들도 도달하지 못하는 경지입니다.

잊지 말아야 할 게 우리가 말하는 영어 말하기는 지금 평가와 변별을 대비하기 위한 공부가 아니라는 사실입니다. 평가 및 변별용 공부라면 저 역시 심지어 영어 말하기에서조차 당연히 시험 공부를 하고 토익 스피킹이나 오픽과 같은 수험서를 드는 게 옳다고 말씀드린 바 있습니다.

심지어 (시험 때문이 아니라) 진실로 영어 말하기를 잘하고 싶어서 공부하는 분들조차도 영어로 말하고 싶은 욕망(수요)과 필요보다 시험에서 좋은 성적을 얻고 싶은 욕망과 필요가 더 큰데 두 목표를 다 추구할 시간이나 여건이 되지 않는다면 역시 수험서를 놓을 이유는 없을 것입니다. 다만 점수 향상이 아니라 모든 이가 영어로 말할 수 있게 하는 것이 목표인 이 책은 그런 분들을 위한 책이 아닐 뿐입니다. 이런 식의 오해는 범위를 혼동하기 시작하는 순간 숱하게 발생하는데 끌림을 학습에 재미나 더하자는 정도로 생각하는 것 역시 그런 혼동 중 하나입니다.

끌림은 무엇일까요? 관심 혹은 재미와는 어떻게 다를까요? 사람은 시험으로도 공부하게 되는데 굳이 끌림이 언어 습득에 필요할까요? 하고자 하는 의지만 있으면 충분하지 않을까요? 저는 앞서 끌림을 자신이 뭔가를 '진정으로' 재미있어 하고 좋아해서 그것으로 '지속적으로' 돌아가고 싶은 상태로 이해하고 그런 콘텐츠의 교재를 이용하시면 된다고 말씀드린 바 있습니다. 맞습니다. 공자(c.551~c.479 BCE)가 처음 말했고 소크라테스와 플라톤(Plato, c.428~c.347 BCE)이 거들었으며 심지어 소크라테스와 플라톤에 반기를 들었던 그들의 제자, 아리스토텔레스(Aristotle, 384~322 BCE)마저도 이 점에 있어서만큼은 둘의 견해에 동의했듯 '노력하는 자는 즐기는 자를 이길 수 없으니'[57] 즐거움이, 그것도 강렬한 즐거움이 있어야 한다는 의미입니다.

그런데 컴퓨터 게임에 홀딱 빠져서 전문 게이머의 길에 들어선 사람들의 입에서조차 즐거움은 그냥 끌려서 할 때나 통하는 것이고 직업으로 할 때는 다르다는 비명이 터져 나옵니다. 게이머들만 하는 말이 아닙니다. 좋아서 시작한 것이 직업이 된 사람들 모두가 이구동성으로 똑같은 말을 합니다. 전문가가 되려면, 즉 능숙해져서 경쟁을 이기고 승자가 되려면, 즐긴다고 되는 게 아니고 강한 의지로 계속해서 피나는 노력을 해야 한다는 것입니다. 운동선수 출신의 어느 유명인 역시 '즐겨서는 절대 안 되며 즐겨서 되는 거 단 한 번도 본 적이 없다'고 단

---

57) 공자의 논어 옹야편에 知之者不如好之者好之者不如樂之者라 했으니 해석하면 '아는 자는 좋아하는 자만 못 하고 좋아하는 자는 즐기는 자만 못 하다.'이므로 '노력하는 자'는 후대의 변형이며 엄밀히 따지면 공자의 말과는 차이가 있습니다. 그러나 소크라테스와 플라톤은 다음처럼 말했습니다. "(그래서 예술의 신인) 뮤즈의 미칠 듯한 끌림을 영혼 속에 받지 못한 사람은 문학의 성전에 이르러 기예를 배우기만 하면 그 문을 지날 수 있을 거라 생각하지만, 내가 장담컨대 그와 그가 쓴 시는 결코 성전에 발을 들일 수 없으니 왜냐면 제정신인 자는 미칠 듯 끌리는 자와 경쟁하는 순간 사라져서 어디에도 존재하지 않게 되기 때문이다." (Plato, Translated by Benjamin Jowett, Phaedrus, p.55~56) 또 세네카(Lucius Annaeus Seneca, BCE 4~CE 65)에 따르면 아리스토텔레스 역시 다음처럼 말했습니다. "일말의 미칠 듯한 끌림(dementiae) 없이 존재한 위대한 천재는 없었다." (Seneca, On Tranquility of Mind (source: http://thriceholy.net/Texts/Tranquility.html) 이들의 말을 요약하면 '노력을 아무리 해도 타고난 끌림이 있어 즐기는 자는 이길 수 없다'이니 정확히 맞습니다. 플라톤의 $\mu\alpha\nu\acute{\iota}\alpha$, 즉 mania나 아리스토텔레스의 dementiae를 보통은 '광기'로 번역하지만 이들이 문자 그대로의 정신분열, 즉 조현병을 뜻하는 것은 아니므로 미칠 듯한 끌림으로 봐야 더 자연스럽다는 게 제 생각입니다. 그들은 미칠 듯 끌려서 미친 듯 살아가니 광인처럼 보일 뿐입니다.

언하기도 했습니다.

이들이 시험이 없을 때는 그토록 즐겼던 컴퓨터 게임이며 운동을, 시험이 함께하는 시점부터는 강한 의지와 피나는 노력의 눈으로만 바라보고 판단하면서 오히려 즐김, 즉 끌림을 부정하게 되는 이 현상이 바로 시험의 끌림 무력화입니다. 이해합니다. 가장 쾌락적이라는 섹스조차 평가와 변별, 성공과 실패의 영역에서는 즐거울 수 없는데 하물며 컴퓨터 게임이나 운동이야 더 말할 나위도 없습니다. 그렇지만 말입니다. 평가와 변별, 성공과 실패의 선고로 더는 즐길 수 없게 된 컴퓨터 게임이며 운동을 그래도 계속 해나가는 힘이 끌림이 아니라 각자의 의지와 그로 인한 노력이라고 이들이 믿는 것은 과연 맞을까요?

즐겨야 한다고 말하면 많은 사람들이 '힘들어서 즐겁지 않을 때는 안 하고 즐겁게 할 수 있을 때에만 하려는 나약함, 대강 혹은 설렁설렁 하려는 불성실함'이 아닐까 의심합니다. 물론 이렇게 의심하는 사람들도 안 끌리는 교재보다는 끌리는 교재가 낫다는 것은 인정할 것입니다. 그러나 그렇더라도 어차피 '의지와 그로 인한 노력으로 끌고 갈 수밖에 없는 프로의 세계에서 즐기기 위해 끌림을 찾으려는 것은 열심히 할 의지가 없는 사람들의 핑계'라는 것입니다. 이런 말들이 옳다면 우리도 끌리는 교재나 찾으려는 한가한 생각을 할 시간에 원래 하던 대로 (시험은 좋지 않다니 굳이 수험서가 아니더라도) 어떤 교재로든 그저 더 열심히 공부해야 할 것만 같습니다. 우리가 끌림과 의지의 본질을 좀 면밀히 살펴보기 전까지는요.

8천 미터가 넘는 고봉을 8개나 정복했던 박정헌(1971~)은 2005년, 당시 아직 대학생이던 후배 최강식(1980~)과 함께 히말라야 촐라체(Cholatse) 북벽(6,440m)의 정상에 오르는 데 성공합니다. 겨울 등정으로는 세계 최초였습니다. 그러나 잠깐의 기쁨을 만끽하고 하산하던 중 기상악화로 인해 최강식이 미끄러져 크레바스에 빠지면서 발목 두 개가 다 부러지고 최강식과 밧줄로 연결되어 있던 박정헌도 그 추락의 충격으로 갈비뼈가 부러지는 사고를 당합니다. 박정헌은 가까스로 최강식을 끌어올리는 데는 성공했으나 이미 만신창이가 된 두 사람의 몸은 제대로 움직일 수 있는 상태가 아니었습니다.

하산 속도가 급격히 떨어지면서 이틀을 예상했던 등반 일정은 닷새가 지나도록 끝날 기미를 보이지 않았고 식량이 바닥나 사흘째부터는 눈을 입에 넣고 녹여서 물만 겨우 섭취할 수 있었습니다. 굶주림으로 한기가 뼛속까지 스며드는 와중에 엎친 데 덮친 격으로 최강식의 골절된 발목은 퉁퉁 부어올랐으며 박정헌 역시 부러진 갈비뼈 때문에 최강식을 제대로 부축할 수 없었습니다. 동상으로 손가락과 발가락의 감각마저 사라지자 두 사람은 서로를 의지해 기어가다시피 움직였고 천행으로 야크 움막을 발견하면서 극적으로 목숨을 구합니다. 그러나 이 사고로 최강식은 손가락 하나를 제외한 나머지 모든 손가락과 발가락을 잃고 박정헌 역시 여덟 개의 손가락과 두 개의 발가락을 잃게 됩니다. 이후 이들의 삶은 어떻게 되었을까요?

박정헌과 최강식은 '두 번 다시 산을 찾지 않겠다'고 다짐했지만 두 사람 모두 다시 산으로 돌아갔습니다. 물론 이제는 예전처럼 세계 기록을 세우는 등산을 할 수는 없었지만 손발가락이 없는 상태임에도 박정헌은 여전히 히말라야의 여러 고산에 오른 뒤 패러글라이딩으로 하산하거나 히말라야 산악 지대를 산악 자전거로 누비는 등 다채로운 형태의 산행을 즐기기 시작했고 최강식은 2009년 킬리만자로 등반을 다녀왔으며 2013년에는 키르기스스탄 레닌피크(Lenin Peak, 7,134m) 원정대에 부대장으로 참여하기도 했습니다. "다시는 이런 짓 안 한다고 다짐했어요. 소용없더군요. 1년도 채 지나지 않아 다시 그리워 졌으니까요."[58] 박정헌의 말입니다. "아이젠을 신고 오르며 발에서 피가 줄줄 흘렀지만 좋아서 올랐습니다."[59] 최강식의 말입니다.

전문 산악인들만의 이야기가 아닙니다. 동호회 산악인들 역시 다수가 똑같은 말을 합니다. 이들은 말이 동호회 산악회원이지 틈만 나면 국내외 각종 고봉들을 넘나드는 프로들입니다. "바위 타다 떨어졌을 때나 눈 속에 빠지거나 갇혔을 때 '다시는 산에 오지 않겠다'라고 다짐한 게 벌써 수십 번이 넘었습니다. 지금 그 인생을 부정하면 내 인생이 통째로 날아가는 것 같습니다. 산은 어느덧 운명과도 같이 내게 다가와 있습니다.[60]" 어느 고교 동문 산악회 회원의 말입니다. 이렇게 산악인들은 목숨을 잃을 수 있는 순간들을 수없이 겪고도 계속 산으로 돌아가고 싶어 합니다. 그렇다면 이런 마음은 의지로 노력하여 생기는 것일까요? 당연히 아닙니다. 산을 향한 끌림이 있으니 저절로 생기는 것입니다.

2018년 문화체육관광부의 조사에 따르면 무려 72.2%의 예술인들이 예술 관련 일로는 1달에 100만 원도 채 벌지 못해[61] 각종 겸업을 하면서 힘들게 활동을 이어갑니다. 2016년

---

58) 월간산, 인물 탐구, 촐라체의 사나이 박정헌, '이젠 일상의 산이 더 즐거워요' http://san.chosun.com/m/svc/article.html?contid=20170404 01441

59) 주간 포커스, '장애 딛고 체육교사·산악인 활동하는 최강식 씨' http://www.focuscolorado.net/news/articleView.html?idxno =16945

60) 월간산, 고교 동문산악회 탐방, 대구고 OB산악부, http://san.chosun.com/site/data/html_dir/2008/02/12/2008 021200841.html

조사를 보면 문학 분야 종사자의 평균 '연봉'은 214만 원, 미술은 614만 원, 사진은 817만 원, 무용은 861만 원 순이었습니다.[62] 또 2009년의 기사 내용이긴 합니다만 대학로 개그 공연 극단에 소속돼 공연을 하는 준비생들은 월급은 아예 없고, 대신 점심과 저녁에 3500원짜리 식권 두 장이 나올 뿐이었습니다.

개그맨 변기수(1977~)로부터 과거 대학로 극단에서 먹고 자던 시절의 일화 한 토막을 들어 봅시다. "아침에 일어나 보니 추석날인 거예요. 일찍 일어났는데 집에 못 갔어요. 차비가 없어서. 주머니에 딱 동전 400원이 있었어요. 지금도 이 극장에서 살고 있는 애들 지하철비 없어서 자전거 타고, 걸어 다니고…. 교통비 없어 집에 못 가는 애들 많아요." 그 역시 식당 아르바이트, 신문 배달, 청소 아르바이트 등을 하면서 개그맨을 준비했다고 합니다.[63] 이들 대다수는 예술이 돈이 안 된다는 것을 알면서도 뛰어든 사람들입니다. 왜일까요? 의지로 이러는 걸까요? 역시 아닙니다. 예술을 향한 끊임없는 끌림이 있기 때문입니다.

이들 산악인들이며 예술인들이 과연 즐거움이 없는 때는 안하고 즐거울 때에만 하려는 나약한 사람들인가요? 대강 설렁설렁 하려는 불성실한 사람들인가요? 오히려 그 반대 아닌가요? 내가 아무리 철저히 준비해도 한순간에 목숨을 잃을 수도 있는

61) 연합뉴스, 예술인 10명중 7명 예술활동 수입 월 100만원 안돼
https://www.yna.co.kr/view/AKR20190404081100005
62) 한국일보, 문학인 평균 연봉 214만원…예술가들 절반 투잡
https://www.hankookilbo.com/News/Read/201603031735611003
63) 월간조선, '헝그리'한 친구들이 사람을 잘 웃겨
http://monthly.chosun.com/client/news/viw.asp?nNewsNumb=200906100009

위험한 상황마저 무릅쓰는 사람들이고 돈이 안 되다시피 하는 활동을 다른 활동으로 벌어들인 수입으로 지탱하면서까지 버티는 사람들이니까요. 즉 목숨이며 인생까지도 걸게 하는 힘이 바로 끌림이고 한 치 앞의 미래마저 보이지 않는 상황도 감수하고 버틸 수 있게 해 주는 힘이 끌림인 것입니다.

오히려 의지에는 이런 힘이 없습니다. 사실, 사람이 의지로 무엇을 한다는 생각 자체가 착각입니다. 산악인들이 극한 환경에 처해 수없이 주저앉아 쉬고 싶은 욕망을 억누르는 힘은 의지가 맞습니다. 예술인들이 궁핍이라는 고통을 견디기 어려워다 포기하고 싶은 욕망을 억제하는 힘도 의지가 맞습니다. 또한 게이머들이 혹은 운동선수들이 힘든 훈련을 멈추고 편하고 싶은 욕망을 누르는 힘 역시 의지가 맞습니다. 하지만 의지의 역할은 거기까지입니다. 그 이후 산악인들이 다시 일어서서 움직이고 예술인들이, 게이머들이, 그리고 운동선수들이 다른 무엇이 아닌 하필 예술로, 컴퓨터 게임으로, 그리고 자신의 종목인 바로 그 운동의 훈련으로 매번 꾸준히 돌아갈 수 있게 해 주는 힘은 의지가 아닙니다. 끌림입니다.

죽음보다는 삶에 끌리기에 산악인들은 걸을 수 없을 만큼 몸이 만신창이가 된 상태로도 다시 기어갈 수 있고 산에 끌리기에 손발가락을 다 앗아간 산에 다시 돌아갈 수 있는 것입니다. 예술인들 역시 예술에 끌리기에 시궁창 같은 현실을 견디면서 계속 예술로 돌아갈 수 있는 것이고 게이머, 운동선수들도 컴퓨터 게임과 운동에 끌리기에 지옥 같은 훈련을 견디면서 버틸 수 있는 것이지 끌림이 없는데 의지로 그러는 게 아니란 말입니다.

만약 이게 의지로도 할 수 있는 일이 되려면, 즉 애초에 끌림이 없는 사람들도 의지만 제대로 발휘하면 산, 예술, 컴퓨터 게임, 운동 등으로 '지속해서' 돌아갈 수 있다는 주장이 맞으려면, 이성애자인 사람이 의지를 발휘했을 때 끌림이 조금도 없던 같은 동성에게도 끌림(성욕)을 느낄 수 있어야 합니다. 바퀴벌레를 보면 기겁하는 사람이 의지를 발휘하면 싫어하던 바퀴벌레도 좋아할 수 있어야 합니다. 오이의 맛과 향을 질색하는 사람이 의지를 발휘했을 때 그 맛과 향 역시 좋아할 수 있어야 합니다. 하지만 모두 불가능하죠. 애초에 의지가 할 수 있는 영역의 일이 아니기 때문입니다.

한국어뿐 아니라 거의 모든 언어에서 의지(will)를 의지력(willpower)이라고도 불러서 행위를 수행하는 동력(power) 취급을 함으로써 일상생활에서는 물론이고 각종 철학, 방법론, 자기계발론에서 숱한 오해와 더 나아가 시행착오까지 불러일으키고 있습니다만 의지는 동력이라기보다는 오히려 동력인 끌림(욕망)을 억누르는 브레이크(brake)에 가깝습니다. 그래서 의지를 의지력, 즉 윌파워(willpower)라고 부르는 것은 잘못입니다. 윌브레이크(willbrake)라고 해야 그 본질에 더 잘 맞습니다.

의지에 관한 대표적인 실험인 마시멜로 실험을 다들 아실 겁니다. 아이들에게 마시멜로를 하나씩 주고서 '당장 먹지 않고 10분을 기다리면 두 개를 주겠다'고 제안한 뒤 몇 명이나 기다리는지를 관찰하는 실험이었죠. 이 실험에서도 아이들은 먹고 싶은 끌림(욕망)에 의지로 제동을 걸었습니다. 의지가 행위의 동력이 아니라 브레이크이기 때문입니다. 마시멜로 실험뿐이 아닙니다. 의지에 관한 다른 모든 실험이 다 마찬가지입니다.

이를테면 다이어트를 통해 살을 빼고자 하는 성인들 역시 먹고 싶은 끌림에 의지로 제동을 겁니다. 운동선수들도 주저앉아 편히 쉬고 싶은 끌림에 의지로 제동을 겁니다. 남자든 여자든 마음에 드는 이성을 보면 잠자리를 함께하고 싶어 하지만 이 끌림(성욕 즉 꼴림)에도 의지로 제동을 걸어서 성범죄자가 되는 것을 피합니다. 의지로는 이렇게 제동을 거는 것이 (비록 늘 성공하지는 못하더라도) 됩니다. 하지만 이미 앞서 말씀드렸듯 의지는 그 반대로는 절대 하지 못합니다. 의지는 동력이 아니라 브레이크이고 끌림이 동력64)이기 때문입니다. 이는 저 혼자만의 생각이 아닙니다.

스피노자(Baruch Spinoza, 1632~1677)는 자신의 주저 '에티카(Ethica)'에서 '말하거나 침묵하거나 어떤 행위를 하는 게 자유로운 정신의 결단에 의한 것이라고 믿는 사람은 눈을 뜨고 꿈을 꾸는 것'65)이라면서 '정신의 결단이란 충동에 지나지 않

---

64) 끌림 외에도 강제 혹은 처벌(시험, 강제 훈련, 강제 노동 등), 필요(자연 보호를 위한 분리 수거, 각종 자원 봉사 등), 보상(상금, 포상 휴가 등) 등도 뭔가를 수행하게 하는 동력의 역할을 하긴 합니다만 이들은 인간 내부의 욕구 혹은 욕망인 끌림과 달리 외부의 요인이라는 차이가 있습니다. 그렇더라도 필요와 보상은 그로 인해 얻는 내외면적 이득이 있고 그 이득을 향한 끌림이 있으므로 끌림과 무관하지 않아서 결국 끌림 기반이라 할 수 있습니다. 그러면 끌림과 무관한 것으로는 강제 혹은 처벌이 남는데 강제와 처벌은 팔다리를 움직이게 하는 동력은 될 수 있을지언정 마음을 움직이게 하는 동력은 되지 못합니다. 그래서 강제와 처벌은 팔 다리를 움직이는 게 중요한, 가령 신체 훈련 등에서는 어느 정도 성과가 나오지만 정신이 움직이는 게 중요한, 즉 끌림이 있어야만 성과를 거둘 수 있는 공부, 연구 등에서는 거의 맥을 추지 못해 진정한 의미의 동력이라고 하기는 어렵습니다. 의지와 가장 헷갈리는 것으로는 인정 욕구가 있습니다. 사람에게는 누구나 인정받고 싶은 욕구, 즉 인정 욕구가 있는데 인정하는 주체가 자기 자신이면 사람들은 이것을 끌림이라고 인식하기보다는 의지라고 인식하는 경향이 있습니다. 가령 오이 혐오자가 누가 강제하지도 않았는데 스스로 의지를 시험해 본답시고 오이 먹기를 시도해 성공하는 경우입니다. 하지만 이 인정 욕구 역시 욕구, 즉 여전히 끌림입니다.

65) Baruch Spinoza, Translated by Samuel Shirley, *Spinoza*

는다.'66)고 말했습니다. 스피노자보다 150년 정도 후배인 쇼펜
하우어(Arthur Schopenhauer, 1788~1860)는 직접 의지를
언급해 '사람은 자기가 의지한 바를 할 수는 있지만 의지를 의
지할 수는 없다.'67)고 단언했습니다. 행위의 동력이 의지처럼
보일 수는 있지만 그 의지가 다시 의지로부터 나올 수는 없으
므로 결국 행위의 동력 역시 의지가 아니라는 말입니다. 에머
슨(Ralph Waldo Emerson, 1803~1882)도 '나는 사건에는
매 순간 내가 나의 의지라고 부르는 것보다 더 높은 차원의 기
원이 있음을 인정하지 않을 수 없다. 사건만이 아니라 생각도
마찬가지다.'68)라고   말했습니다.69)   비트겐슈타인(Ludwig

Complete Works - Ethics, p.282 (Hackett Publishing
Company, Inc, 2002)

66) Baruch Spinoza, ibid, p.281

67) Arthur Schopenhauer, *On The Freedom Of The Will*
(1839), as translated in The Philosophy of American
History : The Historical Field Theory (1945) by Morris
Zucker, p. 531 사실 쇼펜하우어는 의지를 삶을 향한 맹목적 충
동(blind impulse)으로 규정했으니 우리가 보통 생각하는 자유 선
택으로서의 의지와는 다르며 오히려 본능에 더 가깝습니다. 하지만
본문의 인용문에서도 드러나듯 후자의 뜻으로 사용하지 않은 것도
아닙니다.

68) I am constrained every moment to acknowledge a
higher origin for events than the will I call mine. As with
events, so it is with thoughts. — Ralph Waldo Emerson,
The   *Over-Soul*,
https://emersoncentral.com/texts/essays-first-series/the-ov
er-soul/

69) 에머슨이 말하는 높은 차원의 기원은 일반적으로는 초영혼(The
Over-Soul 우주 어디에나 있는 신의 영혼으로 인간에게도 있으므
로 곧 인간의 영혼이기도 하다.)이라는 이름으로 알려져 있으나 에
머슨 자신이 이 초영혼을 '위대한 본능(The Great Instincts)'이
라고도 불렀으니 우리의 끌림과 본질적으로는 다를 바 없겠습니다.

Wittgenstein, 1889~1951) 역시 '의지를 의지할 수는 없다. 즉 의지를 의지한다고 말하는 것은 무의미하다.'[70]고 말해 언어 논리적으로도 의지가 동력이 될 수는 없음을 시사했습니다.

현대에 들어오면서 의지의 정체는 좀 더 뚜렷해집니다. 바우메이스터(Roy F. Baumeister, 1953~)와 존 티어니(John Tierney, 1953~)는 의지를 전문적으로 연구한 책 '의지력(willpower)'에서 의지력을 자기 제어라 규정하면서 생각 제어, 감정 제어, 충동 제어, 수행 제어의 네 가지로 나누었으니[71] 모두 제어(control)와 관계됩니다. 브레이크라는 말입니다. 미국의 작가 주디스 비오스트(Judith Viorst, 1931~) 역시 '초콜릿바를 네 조각으로 나눈 다음 그중 하나만 먹을 수 있는 능력이 힘'[72]이라고 했으니 의지가 동력이 아니라 자기 제어(self control), 곧 브레이크임을 잘 알고 있었습니다. 이런 의지의 성격은 '자아가 원시적 욕구를 억제하고 도덕이나 양심에 따라 행동할 수 있게 하는 정신 요소'라는 표준국어대사전의

---

70) Ludwig Wittgenstein, Translated by G. E. M. ANSCOMBE, *Philosophical Investigations*, in #613, p.159 (Basil Blackwell, 1958)

71) We can divide the uses of willpower into four broad categories, starting with the control of thoughts. ... Another broad category is the control of emotions, ... A third category is often called impulse control, ... Finally, ... performance control — Roy F. Baumeister, John Tierney, *Willpower: Rediscovering the Greatest Human Strength* (The Penguin Press, 2011)

72) Strength is the capacity to break a chocolate bar into four pieces with your bare hands - and then eat just one of the pieces. — Judith Viorst, source: http://www.brainyquote.com/quotes/authors/j/judith_viorst.html

초자아의 정의에서도 엿볼 수 있습니다. 심지어 의지라는 게 존재하지 않을지도 모른다는 내용의 벤저민 리벳의 의지 실험에 대해서는 이미 '5. 두뇌의 영어 거부'에서 말씀드린 바와 같습니다. 이처럼 의지는 존재하지 않거나 존재하더라도 브레이크에 가깝다는 생각은 시간이 지날수록 과학계, 철학계, 심리학계의 대세가 되고 있습니다. 그렇다면 우리로서는 사실상 행위의 유일한 동력인 끌림의 활용법에 더욱 관심을 가질 수밖에 없습니다.

다들 진작 눈치채셨겠지만 끌림의 다른 이름은 본능입니다. 욕망이나 욕구라고 해도 되고 꼴림이라고 하면 가장 정확합니다. 끌림 중에도 강약이 있습니다. 가령 살고 싶은 끌림(욕망)은 매우 강력합니다. 맨손인 상태에서 나의 목을 향해 칼이 날아오면 잘리는 것을 기꺼이 각오하고 손이나 팔로 막을 정도입니다. 흔히 3대 욕구 혹은 4대 욕구라 불리는 식욕, 성욕, 수면욕, 배설욕은 그 다음으로 강력합니다. 아무것도 안 하고 편하고 싶은 욕구, 친구 혹은 애인과 놀고 싶은 욕구, 컴퓨터 게임 등을 하고 싶은 욕구 등등도 그에 못지않게 강력합니다. 따라서 이것들보다 약한 끌림을 갖는 무엇, 가령 배움을 수행하려면 우리는 앞의 강력한 끌림들을 먼저 억눌러야 합니다. 그렇지 않으면 정신이 배움이 아니라 배움보다 더 강력한 저런 것들에게 끌려가기 때문입니다. 이렇게 다른 강력한 끌림들을 억누를 때 사용하게 되는 것이 브레이크인 의지입니다. 그리고 그렇게 다른 끌림들이 억눌러져 있어야 우리는 비로소 배움을 향한 미약한 끌림에 이끌려 책상머리에 앉을 수 있습니다.

그러나 침대에 누워 편히 쉬고 싶은 끌림 혹은 애인과 놀기 위해 외출하고 싶은 끌림 등을 성공적으로 억누르고 책상머리에 앉았다고 해서 끝이 아닙니다. 이번에는 스마트폰을 하고 싶다는 끌림이 스멀스멀 일어나 우리의 정신이 공부로 끌려가는 것을 방해할 테니까요. 그럼 의지는 다시 이 스마트폰 끌림을 억눌러야 하며 여기에서 실패하면 우리는 비록 엉덩이로는 자리에 계속 앉아 있을지언정 손과 두뇌로는 스마트폰을 하게 됩니다. 또 아까 애인과 놀러 나가고 싶은 끌림은 억누르는 데 성공했더라도 애인 생각이 떠오르는 것을 억누르는 데 실패하는 것도 똑같은 결과를 불러옵니다. 눈은 책을 보고 있을지언정 머리를 점령하고 있는 것은 애인일 테니까요.

이런 상황, 즉 책상머리에 앉아놓고도 집중을 하지 못하는 상황과 맞닥뜨리면 우리 대다수는 여전히 자신의 의지 부족을 탓하며 더욱 투지를 발휘하여 문제를 해결하려 합니다만 이는 그다지 좋은 선택이 아닙니다. 왜냐면 (1) 의지는 무한히 사용할 수 있는 것이 아니라 하루 사용량이 정해져 있는[73] 반면 끌림은 충족되지 않는 한 얼굴을 바꿔가며 끊임없이 밀려드는 것이어서 집중하려고 짧은 기간에 의지를 다 써버리면 오히려 이후에는 쓸 의지가 남아나지 않기 때문이고 또한 (2) 여태 여러 끌림들을 억누르며 여기까지 온 우리의 의지는 부족하지 않았으며 우리를 의자에 앉게 한 것만으로도 이미 자기 임무를 훌륭히 완수했기 때문이기도 하며 (3) 따라서 지금 부족한 것은 의지가 아니라 공부를 향한 끌림이기 때문입니다.

주인이 아무리 불러도 거들떠도 안 보던 개가 손에 먹을 것을 들고 흔들면 즉시 눈을 반짝이며 달려와 그 먹이에 온통 집중합니다. 책만 펴면 눈이 흐리멍덩해지면서 조는 남자들 혹은 여자들이 있을 때 늘씬한 글래머 미녀가 탐스러운 엉덩이를 살

---

73) ... willpower is a limited resource, Kelly McGonigal, *The Willpower Instinct* (Avery, 2013) 흔히 근육을 키우듯 훈련을 통해 하루에 사용할 수 있는 의지력의 양을 늘릴 수 있다고는 하지만 그래봐야 한계가 있다는 사실은 변하지 않습니다.

랑살랑 흔들며 사뿐사뿐 걸어가게 하거나 훤칠한 키에 근육질의 미남이 동아줄 같은 핏줄이 꿈틀거리는 두툼한 팔뚝을 드러낸 채 뚜벅뚜벅 걸어가게 하면 남자들은, 그리고 여자들은 즉시 눈이 초롱초롱 빛나며 온통 그 미녀, 미남에 집중합니다. 개와 남녀가 이렇게 집중하는 데에는 그 어떠한 의지나 노력도 필요하지 않습니다. 이와 같이 원래 집중은 정말 끌리는 것, 정말 욕망하는 것이 있을 때 (의지나 노력이 아니라) 그 끌림, 즉 욕망으로 인해 저절로 일어나는 자연 현상입니다. 그래서 집중이란 원래 아무런 힘을 들일 필요가 없이 그냥 되는 것입니다. 내가 하는 게 아니고 끌려가는 것이기 때문입니다.

　잠시 우주 공간을 떠올려봅시다. 거기에는 달도 있고 지구도 있고 목성도 있고 태양도 있습니다. 우리는 그 공간을 떠도는 우주인입니다. 그런데 별안간 지구도, 목성도, 태양도 모두 사라지고 오직 달만 남습니다. 그러면 달의 인력이 아무리 미약하더라도 우리는 저절로 달 쪽으로 끌려갑니다. 이게 끌림이고 집중입니다. 달이 공부라면 저절로 공부에 집중이 되는 것입니다. 그러나 갑자기 지구가 나타납니다. 지구를 '컴퓨터 게임 하기'라고 합시다. 아무런 외력이 작용하지 않으면 이제 우리는 달이 아니라 지구로 끌려갑니다. 달의 끌어당김보다 지구의 끌어당김이 더 세기 때문입니다. 이렇게 공부인 달이 아니라 컴퓨터 게임인 지구에 끌려갈 때는 집중이라는 용어 대신 흔히 해찰이라는 용어를 씁니다만 사실 둘은 같은 현상입니다.

　달로 끌려갈 때든 지구로 끌려갈 때든 우리는 아무런 힘이 필요치 않습니다. 지구로 끌려가지 않으려고 할 때부터 힘이 필요합니다. 그 힘이 바로 의지입니다. 즉 의지는 집중을 만들어내는 힘이 아닙니다. 오히려 집중을 방해하고 막는 힘입니다. 윌파워가 아니라 윌브레이크입니다. 그러므로 비록 의지로 지구의 끌어당김을 완벽히 차단하는 데 성공하더라도 만약 달에 아무런 끌어당김이 없으면 우리는 달 쪽으로 움직이지 못합니다. 움직이는 것은 브레이크로 할 수 있는 일이 아니기 때문입니다.

이제 우리는 애초에 달의 인력이 지구나 목성, 아니 태양의 인력보다도 더 컸다면 의지는 쓸 일조차 없이 우리 두뇌는 컴퓨터 게임에 집중하듯 공부에도 저절로 집중하게 됨을 알 수 있습니다. 즉 책상머리에 진득하게 앉아 있는 데까지 성공하고도 아무리 애를 써도 좀처럼 공부에 집중이 되지 않는 것은 사실은 의지가 부족해서가 아니라 공부로의 끌림이 부족해서라는 말입니다. 따라서 이런 때에는 (1) 일단은 나중에 다른 끌림 억제에 쓰면 더 유용할 의지를, 의지가 할 수조차 없는 일(집중)을 하려고 당장 다 탕진해 버리는 헛수고를 할 게 아니라 의지 대신 다른 것들을 이용할 보완책을 강구하는 편이 좋으며 (2) 다음으로는 반드시 부족한 끌림을 보충할 방안을 찾아야 합니다.

가령 집에서는 도저히 안 되던 공부가 도서관에 가면 마음이 딱 잡히면서 잘 되곤 합니다. 약하던 의지가 도서관에서 별안간 강해져서일까요? 아닙니다. 공부 외 다른 끌림으로 우리가 끌려갈 가능성을 의지로써만이 아니라 환경적으로 차단해 버렸기 때문입니다. 또 도서관은 다른 사람들과 맞닥뜨렸을 때 일어나는 경쟁 본능, 혹은 함께 휩쓸리면 더 잘 되는 군중 심리 등을 제공해 주는 장소이기 때문이기도 합니다. 그리고 이로써 우리는 의지의 힘이 생각만큼 세지 않으며 때로는 간단한 조치 하나가 의지보다 더 강력한 효과를 발휘하기도 함을 알 수 있습니다. 스터디 그룹을 만들거나 학원에 가는 것 역시 비슷한 방법인데 요즘은 동영상 플랫폼에서 자신이 공부하는 모습을 불특정 다수에게 생중계함으로써 비슷한 효과를 노리는 분들도 있더군요.

그런데 이런 보완책들도 훌륭합니다만 보완만 해서는 끌림의 절대량이 늘지 않기에 의지며 보완책의 효과가 떨어지기 시작하는 나중에는 집중의 양과 질 모두에서 한계에 부딪칠 수밖에 없습니다. 도서관에서도 슬슬 공부가 안 되기 시작하여 친구와 잠깐만 커피 타임을 갖기로 했으나 신나게 수다를 떨다 보니 어느새 한나절을 몽땅 날린 경험이 다들 있으실 겁니다. 모두 끌림이 부족하기에 벌어지는 일입니다. 이처럼 결국은 공부를 향한 끌림 자체를 키우는 방법이 필요하게 됩니다. 제가 끌리는 콘텐츠를 도입해 부족한 공부 끌림을 대체[74]하자는 방안을 제안한 것도 그래서입니다.

콘텐츠를 이용한 이 대체재 방안은 사실 새로운 방법이 아닙니다. 매우 유서 깊은 방법입니다. 알고 보면 우리가 '책을 통해서 하는 공부'라고 부르는 거의 모든 행위가 이 콘텐츠를 이용한 대체 전략에 어느 정도는 기반하고 있기 때문입니다. 가령 콘텐츠가 전혀 없는 다음과 같은 '순수한' 텍스트에 우리는 (호기심이라는 끌림이 작동하는 짧은 시간이면 몰라도 길게는) 절대 집중하지 못합니다.

의다지이는나생하각중만그큼이힘것이는세는지가앉에다실선서택독가다능많성가을가줄때이할는휘것발만를으과로효도더의다지보 가버지향그어사냘찌주긋러여랑끈빛빛한나쁜한처화새관칼처보녀사하능같녀답의한얀적은여은자입치숨혀너죽태술아결끝를음

---

74) 앞에서 언급한 보완책과 구별하기 위해 대체라는 낱말을 썼을 뿐이며 전적으로 대체의 기능만 있고 보완의 기능은 없다는 뜻은 아닙니다

반면에 다음과 같이 콘텐츠가 담기면 비로소 집중할 수 있게 됩니다. 그리고 우리가 공부하는 모든 과목의 텍스트에는 콘텐츠가 있습니다.

의지는 생각만큼 힘이 세지 않다. 선택 가능성을 줄이는 것만으로도 의지보다 더 효과를 발휘할 때가 많다. 독서실에 가는 것이 그중 하나이다.

콘텐츠가 무엇인가에 따라 집중의 수준 역시 달라짐은 물론입니다.

> 가냘픈 처녀의 자태
> 버찌빛 화사한 입술
> 진주빛 새하얀 치아
> 향긋한 관능적 숨결
> 그러나 칼같은 혀끝
> 어여쁜 처녀여 너를
> 사랑한 보답은 죽음[75]

만약 집중에서 의지가 차지하는 비중이 절대적이라면 우리는 의지를 발휘했을 때 앞의 세 종류의 텍스트에 거의 비슷한 수준으로 집중할 수 있어야 합니다. 특히 콘텐츠가 없는 첫째 텍스트는 콘텐츠가 있는 둘째 및 셋째 텍스트를 개별 글자의 순서만 바꿔 나열한 것이어서 구성 글자가 똑같기 때문에 더욱 그러합니다. 하지만 누구나 콘텐츠가 있는 둘째와 셋째 텍스트

---

75) 나관중, 모종강 저, 브레윗 테일러, 지민준 역, '영한대역 삼국지' 2권, 95p (다산북스, 2012)

에 훨씬 더 쉽게 집중하며 첫째 텍스트에는 거의 집중하지 못합니다. 사람에 따라서는 논리 위주의 둘째 텍스트에 더 집중이 잘 되는 분들도 있을 것이고 정서 위주의 셋째 텍스트에 더 집중이 잘 되는 분들도 있을 것입니다. 즉 자신이 더 끌리는 콘텐츠에 더 쉽게 집중하는 것입니다. 집중이 의지보다는 끌림의 일이기 때문입니다.

일반적인 공부는 텍스트의 콘텐츠를 배우는 것이므로 그 콘텐츠를 다른 것으로 바꾸는 것은 꿈도 꿀 수 없습니다. 반면에 언어 공부에서는 텍스트의 콘텐츠를 배우는 것이 아니므로 바꾸는 것이 얼마든지 가능합니다. 그렇다면 끌림을 늘리는 것이 중요한 상황에서 자신이 최대한 끌리는 콘텐츠로 바꾸는 것은 합리적인 학습자라면 당연히 해야 할 선택입니다. 그렇게 하지 않는 것이 오히려 이상합니다.

8.4. 놀이 대 공부

여태 보신 것처럼 집중과 해찰은 이름만 다를 뿐 동일한 것이고 끌림으로부터 그냥 발생하는 자연 현상입니다. 반면에 의지는 이 끌림 동력, 즉 그로 인해 발생하는 집중에 제동을 거는 브레이크로 그냥은 아니고 사람이 애를 써야 발생하는 인위적인 현상입니다. 흔히 집중이 의지의 일이라는 우리의 착각은 의지와 끌림의 작용이 거의 항상 동시에 일어나는 데에서 기인합니다. 공부에 집중하기 위해 스마트폰을 들여다보고 싶은 욕망을 억누를 때, 즉 억누르는 의지와 공부를 향한 끌림, 이 두 힘이 동시에 작동 중일 때 두드러지는 쪽은 아무래도 지금 내가 능동적으로 개입하여 애를 쓰고 있는 의지일 수밖에 없으니까요.

그러나 동력 없이 정지 상태일 때 밟는 브레이크가 아무런 의미가 없듯 의지의 발휘며 노력이란 끌림이라는 동력이 있어야 비로소 의미가 있으며 그렇지 않으면 기력의 헛된 낭비에 불과합니다. 무슨 말이냐면 아무리 의지로 다른 끌림들을 억누르는 데 성공했어도 목표 대상을 향한 끌림이 아예 없으면 바라던 집중 역시 이뤄지지 않습니다. 아무리 엉덩이로 책상머리에 계속 앉아 있는 데 성공해도 좀처럼 책에 집중하지 못하는 것이 이 때문입니다. 집중이 끌림의 일이기 때문입니다. 의지의 발휘가 필요한 이유도 끌림이 충분하지 않아서일 뿐입니다. 다른 모든 끌림들보다 공부를 향한 끌림이 더 크면 공부하기 위해 의지는 발휘할 필요조차 없으며 우리의 정신은 마치 컴퓨터 게임에 이끌리듯 저절로 공부로 이끌릴 수밖에 없습니다. 아인슈타인이 수학과 물리학을 공부할 때 집중했던 것처럼요. (아인슈타인 일화가 기억나지 않는 분들은 '6. 영어 습득 환경 구축을 방해하는 4개의 요인'을 참조하세요.)

해찰과 집중을 구분하는 게 무의미하듯 (이렇게 강한 공부 끌림의 지점에 이르면) 놀이와 공부의 구분 역시 무의미해집니다. 모든 공부는 놀이가 됩니다. 즉 공부란 존재하지 않으므로 앞서 제가 7장의 도입부에서 말씀드렸던 '끌림은 공부로의 환원을 막는 장치'가 이렇게 실현됩니다. 물론 이때의 끌림은 작은 끌림이 아니라 매우 큰 끌림이어서 샐리언스가 엄청나기에 이 상태에서는 공부 두뇌[76], 노력 두뇌가 없는 사람도 누구나 언어 습득에 성공합니다.

현실에서는 아이가 모국어를 습득하는 당시의 상태가 이와

---

76) 여기에서 공부 두뇌가 없어도 된다는 말은 재능의 필요성을 부정하는 게 아니라 언어 습득 재능은 인간이라면 누구나 두뇌에 언어 중추를 기본적으로 탑재하고 태어나는 까닭에 굳이 따로 따질 필요가 없다는 뜻입니다.

비슷합니다. (아직 다루지 않은 한 가지 영역의 문제가 남아 있어서 엄밀히 말하면 공부와 놀이의 구분이 무의미하다고 이 단계에서는 아직 말할 수 없습니다만 책의 논의 진행을 위해 지금은 그 영역의 문제가 미리 해결되었다고 가정합니다. '그 영역'은 '9. 영어 습득 환경 구축을 위한 교재 선택법 3'에서 따로 다룹니다.)

그렇다면 아이가 모국어를 습득할 때는 자동으로 잘만 달성되던 '공부 = 놀이'의 상태가 왜 성인이 외국어를 습득할 때는 달성되지 않을까요? 물론 이제 우리는 여러 이유를 압니다. 모국어 조강지처와 두뇌 생리 할아버지의 합동 방해, 그리고 언어 습득 환경(대화 상대, 콘텐츠 등) 미비와 영어를 언어가 아닌 시험 과목으로 대하게 되는 현실 등 아이에게는 없지만 성인이 되면 발생하는 것들이 있었습니다. 그런데 이런 것들은 끌림 외적인 측면들이었고 통제 불가능한 것과 가능한 것들을 나눠 가능한 것들은 이미 다뤘습니다. 성인의 언어 습득이 아이의 언어 습득만큼이나 쉬운 것이 되게 만들려면 우리는 당연히 끌림 자체의 측면까지 살펴봐야 합니다.

8.5. 아이와 성인의 언어 끌림

전에 언어 습득 과정에서 대화 상대의 존재가 얼마나 필수인지를 다루면서 '오랜 시간 혼자 말하기'가 보통 사람은 못 할 짓이라는 취지의 말씀을 드린 적이 있습니다. 그런데 아이들은 이 못 할 짓을 잘만 합니다. 지금은 못 하는 우리 성인들도 아이 때에는 잘만 했습니다. 거의 모든 아이가 시도 때도 없이 자주, 그리고 오래 해대는 바람에 언어학자들은 이런 행동에 crib talk, 즉 '침대 말하기'라는 이름까지 붙였습니다. 다만 침대에서 아이들이 저러는 것을 발견해 저 이름이 붙었을 뿐, 꼭 침대에서만 일어나는 현상은 아닙니다. 아이들은 아무 때고 아무데서나, 심지어 다른 사람과 대화를 나누는 와중에도 혼자 말하기를 합니다.

다음은 39세의 젊은 나이에 요절한 천재 언어학자 루스 허쉬 위어(Ruth Hirsch Weir, 1926~1965)가 생전에 자신의 아들 앤서니(Anthony)의 혼잣말을 관찰하여 남긴 기록의 일부입니다.

"무슨 색? 무슨 색 담요? 무슨 색 걸레? 무슨 색 잔? ... 중략 ... 노란색 담요 아냐, 하얀색이야. 검은색 아냐, 노란색이야. 노란색 아냐, 빨간색이야."[77]

도대체 앤서니가 무슨 말을 하고 있는지에 대한 의문은 책이 진행하면서 차차 풀리니까 지금은 잠시 접어두고 필요한 논점부터 짚어나가기로 하겠습니다. 성인이라면 아주 외로울 때에나 하게 되는 것이 혼자 말하기이며 혹시 하더라도 한두 마디 짧게 하고 마는 것이 보통입니다. 그런데 아이들은 어째서 아무 의미도 없어 보이는 저런 혼자 말하기를 이렇게 자주 그리고 오래 할까요? 외로워서가 아닙니다. 외로움이 문제였다면 앤서니의 경우 바로 곁에서 자신을 관찰하고 있던 엄마에게 달

---

[77] "What color? What color blanket? What color mop? What color glass? ... Not the yellow blanket, the white. It's not black, it's yellow. Not yellow, red." (source: The Varieties of Play Match Requirements of Human Existence, https://www.psychologytoday.com/us/blog/freedom-learn/200810/the-varieties-play-match-requirements-human-existence)

려갔겠죠. 앤서니는 엄마는 거들떠보지도 않고 혼잣말에 몰두하고 있었습니다. 외로움이 아니라 그저 혼자 말하기에 끌려서, 즉 재미있어서입니다. 하지만 저 혼자 말하기의 어디가 어떻게 재미있다는 걸까요? 혼자 말하기에 그런 재미있는 부분이 있다면 왜 우리 성인들은 찾지 못할까요? 그들도 심지어 어릴 때는 잘만 했다면서요. 답은 '성인이니까 찾지 못하고 또 찾을 수도 없다'입니다.

앞에서도 콘텐츠와 관련하여 잠깐 내비친 이야기입니다만 재미가 대상의 콘텐츠로부터 나온다는 사실을 부인할 사람은 없을 것입니다. 동시에 재미는 개인 취향의 문제이기도 합니다. 가령 누군가가 2004년도 영화 '밀리언 달러 베이비(Million Dollar Baby)'를 재미있어한다면 그것은 클린트 이스트우드(Clint Eastwood, 1930~)가 감독한 그 영화의 콘텐츠가 훌륭하고 본인의 취향에 맞아서이지 그저 영화여서가 아닙니다. 어떤 노래가 좋은 것도 그 곡의 품질이 좋은 동시에 취향에 들어맞기 때문이고 특정 그림이 멋진 것도 기술적으로 잘 그려진 동시에 본인의 눈에도 보기 좋기 때문이지 그저 노래이고 그림이라는 이유만으로 좋은 것은 아닙니다. 따라서 한 사람에게는 인생작인 영화나 노래, 그림이 다른 사람의 눈과 귀에는 그저 그렇거나 심지어 졸작이 되기도 합니다. 모두 콘텐츠와 취향의 문제이고 이게 일반적으로 통용되는 이치입니다.

그런데 보시다시피 앤서니의 혼잣말은 무슨 말을 하려는 것인지조차 모호할 정도로 콘텐츠라고 할 만한 것이 없습니다. 기껏 존재하는 콘텐츠라고 해 봐야 파편화된 개별 문장에 담긴 고립된 의미가 고작입니다. 따라서 앤서니의 저 발화의 흐름에서 우리가 발견할 수 있는 유일한 뭔가는 콘텐츠적인 것이 아니라 문장의 형식에 관한 것입니다. 각 발화문이 '무슨 색

(what color) + 이름씨(명사)'라는 패턴의 반복으로 이뤄져 있다는 것 말입니다. 그리고 이게 바로 답입니다.

즉 지금 앤서니는 콘텐츠에 관심을 기울이고 있는 게 아닙니다. 문장의 형식을 가지고서 마치 블록 놀이를 하듯 '무슨 색'이라는 표현 뒤에 다양한 이름씨를 결합해 보는 조립 놀이를 하고 있는 것입니다. '무슨 색'이라는 표현이 홀로도 쓰이고 담요든 걸레든 잔이든 그 어떤 다른 이름씨와 함께도 쓰일 수 있다는 사실이 (우리 성인들에게는 의식조차 못할 만큼 너무도 당연한 일이지만) 아이 입장에서는 혁명적인 발견인 까닭입니다. 왜냐면 아이는 이런 것을 태어나서 처음 겪어보거든요. 즉 현재 아이는 콘텐츠가 전혀 없는 언어 자체만을 가지고도 상당히 재미를 보고 있는 중인데 당연히 이런 사례에는 앤서니만 있는 것이 아닙니다.

2살 반의 미국 어린이 리사(Lisa)도 똑같은 놀이를 즐깁니다. 아침 식탁에 앉은 리사는 "설탕 줘."라고 했다가 곧이어 다시 "후추 줘."라고 말하고 잠시 후에 또 '토스트 줘.'라고 했다가 곧이어 또 '잼 줘."78)처럼 말하곤 합니다. 하지만 정작 원하는 걸 건네받아도 도무지 사용하지 않습니다. 양념이나 음식이 필요하다는 의사를 표현한 게 아니라 그저 '이름씨 + 줘' 조립 놀이를 통해 언어를 갖고 노는 중이기 때문입니다.

이런 상황을 맞닥뜨리게 되면 내막을 모르는 어른들 중 일부는 아이가 괜한 심술을 부린다고 생각해서 "왜 달라고 해 놓고 안 쓰느냐?"며 혼을 내기도 하는데 그러면 안 됩니다. 아이의 두뇌로는 아직 언어의 여러 측면에 대해 동시에 주의를 기울일

---

78) Pass the sugar. Pass the pepper. Pass the toast. Pass the jam. — John Holt, *How Children Learn* (Da Capo Press, 2009)

수 없습니다. 가지고 노느라 언어가 끼워 맞추며 노는 블록 맞추기 비슷한 놀이(공부가 절대 아닙니다.)로 일단 인식이 되면 의사소통 수단으로서의 기능이나 나머지 언어의 기능들에 주의를 기울이지 못합니다. 따라서 이때 리사를 혼내면 아이 입장에서는 혼자 신나게 노는데 느닷없이 마른하늘에 날벼락이 떨어진 것과 같아서 혼나는 이유를 도무지 납득할 수 없습니다.

한국 아이의 사례도 있습니다. 시장에 가는 엄마에게 어떤 한국 어린이가 종종 다음과 같이 연속된 문장으로 작별 인사를 합니다. "엄마, 빨리 와~. 금방 와~. 얼른 와~. 후딱 와~."[79] 이 어린이 역시 '어찌씨(부사) + 와' 조립 놀이 중인데 앤서니와 리사가 하던 것과 똑같은 유형의 언어 놀이입니다. 동서양의 아이가 비록 서로 배우는 언어는 다를지언정 놀이의 유형은 다르지 않은 것입니다. 물론 언어 놀이의 유형에 이런 조립 놀이 한 가지만 있는 것은 아닙니다. 그렇게 단조로워서는 금방 질리겠죠. 어른들로부터 어깨 너머로 배운 언어 법칙을 적용하는 지금까지의 놀이와 달리 스스로 만드는 창조 놀이도 있습니다.

엄마랑 쇼핑을 나온 어떤 아이는 엄마가 장을 보느라 바쁜 사이에도 '벵구(Beng-goo)'라는 뜻도 없는 자작 낱말 하나를 열 번 정도 반복하며 가지고 노는 게 관찰되었습니다. 어떤 소녀는 '리들-리들-리들-리들(leedle-leedle-leedle-leedle)'이라고 역시 의미 없는 자작 낱말 말하기를 즐겼는데 어느 정도였냐면 그게 아이가 가장 좋아하는 놀이여서 날마다 같은 소리를 냈다고 합니다. 그것도 한두 달 동안이나 계속해서 말입니다.[80] 성인이라면 절대 즐거움을 찾을 수 없는 이런 것에도 아

---

79) 제 어머니의 증언이며 사례에 나온 아기는 저입니다.
80) … a child about a year old. His mother was busy …

이들은 흠뻑 빠짐을 알 수 있는 증거입니다.

다른 놀이도 있습니다. 미나는 케이팝(kpop) 걸그룹 트와이스(Twice)의 일원으로 일본인인데 한국어 중 '발가락'의 발음이 참 재미있답니다. 같은 '~가락'이라도 '손가락'은 재미가 없는데 '발가락'만 그런다고 하네요.81) 미나만이 아닙니다. 예전에 제가 잠시 영어를 가르쳤던 어느 고등학생도 '눈을 희번덕거리다'는 표현을 접하고는 혼자 빵 터져서 한참을 낄낄대더군요. 미나와 이 고교생은 아마도 '발가락'과 '희번덕거리다'는 표현은 평생 잊지 못할 겁니다. 1997년생인 미나는 20살이 한참 넘은 성인인데도 이런 재미를 느꼈습니다. 제가 가르쳤던 고등학생도 당시 곧 성인이 되는 나이였지만 마찬가지였습니다.

미나가 꽂힌 측면은 언어의 의성적(onomatopoeic) 측면이고 남고생이 꽂힌 측면은 의태적(mimetic) 측면입니다. 의성은 아시다시피 '소리의 흉내'라는 뜻이고 의태는 '모양이나 동작의 흉내'라는 뜻입니다. 성인과 성인에 가까운 청소년도 이럴진대 나이 어린 아이들이 언어의 의성적, 의태적 측면과 맞닥뜨렸을 때 그 반응이 훨씬 강렬할 것임은 미루어 짐작하고도 남습니다. 아이들에게는 발가락, 희번덕거리다까지 갈 것도 없이 그

Suddenly he said to himself, "Beng-goo." After a few seconds he said it again, then again, and so perhaps ten times. ⋯ another one-year old. She liked to say "Leedle-leedle-leedle-leedle." It was her favorite sound, and she said it all the time; indeed, that was about all she said. ⋯ she kept it up for a month or two before moving on to something else. — John Holt, ibid. 참고로 홀트는 leedle을 의미 없는 자작 낱말로 보았지만 어떤 사람들은 little의 아기어(CDS, child-directed speech)로 보기도 합니다.

81) https://namu.wiki/w/%EB%AF%B8%EB%82%98(TWICE)

저 닿소리(자음)와 홀소리(모음)가 결합하여 어떤 소리가 나는 것 자체만으로도 경이로운 일일 수 있습니다. 가령 '빨갛다'는 낱말 자체, '철컹 철컹'이라는 단어 자체만으로 빵 터질 수도 있다는 말입니다. 역시 모두 태어나서 처음으로 겪어보는 신기한 현상이니까요. 그러므로 한걸음 더 나아가 '빨간 원숭이 볼기짝'처럼 낱말이 '빨갛다'에서 '빨간'으로 형태 변화하거나 '원숭이 볼기짝'과 결합하는 현상은 또 얼마나 재미있겠습니까? '노란 원숭이 엉덩짝' '빨간 길동이 궁둥짝'처럼 무궁무진하게 변화하는 다채로움에 아이는 넋을 잃고 빠져들지도 모릅니다. 우리 성인에게는 식상한 모든 낱말들의 소리며 뜻이 아이들에게는 그렇지 않음을 상상해 보십시오. 아이의 머리가 좋든 나쁘든 이 언어들이 엄청난 샐리언스로 기억에 꽂힌다고 추론하는 것도 무리가 아닌데 성인이 시험을 보고 공부하듯 했더라면 불가능했을 일입니다.

지금까지는 이해의 편의를 위해 비교적 간단한 언어 놀이들만 살펴보았는데 마지막으로 딱 하나만 좀 복잡한 언어 놀이도 보겠습니다. 그래야 아이의 언어 놀이가 얼마나 다채롭고 변화무쌍한지 그 진수를 조금이나마 제대로 느껴 보실 수 있을 테니까요. 21개월 된 에밀리(Emily)의 혼잣말 사례인데 놀이가 이뤄지는 양상을 한국어로는 제대로 옮길 방법이 없어서 영어 원문 그대로 올립니다. 주의 깊게 보시면 에밀리가 영어의 어떤 면들을 가지고 놀고 있는지, 그 의식의 흐름이 어떻게 전개되는지 등이 엿보일 것입니다. 참고로 영문에 나오는 에미(Emmy)는 에밀리 본인 이름의 애칭입니다.

The broke, car broke, the ..
Emmy can't go in the car.

Go in green car.

No.

Emmy go in the car.

Broken. Broken.

Their car broken, so Mommy Daddy go in their car,

Emmy Daddy go in the car,

Emmy Daddy Mommy go in the car,

broke,

Da ⋯ da,

the car ⋯ their, their, care broken (continues)[82]

예컨대 지금 에밀리는 과거(broke)와 현재(go in)를 넘나드는 시간 여행 초능력자이며 부정(can't go in)에 맞서는 긍정(go in)의 용사입니다. 그녀는 녹색의 말(green car)을 타고 다니는데 그 말은 부상(broke)을 입었습니다. 에밀리가 악으로부터 구하려는 사람들은 엄마와 아빠(Mommy Daddy)입니다. 말이 부상에서 회복해 그녀는 가까스로 엄마와 아빠를 구하는 데 성공하지만(Emmy Daddy Mommy go in the car) 탈출 과정에서 녹색의 말은 악의 공격을 받아 다시 부상(broke)을 입습니다. 이제 에밀리와 가족은 최후의 일격을 가하려고 달려드는 절대악의 앞에서 절체절명의 위기를 맞습니다.

저는 Da ⋯ da,라고 외치는 부분에서 왠지 에밀리가 신이 났다는 느낌을 지울 수가 없습니다. 물론 에밀리에게 저런 이야기의 상상은 필요치 않습니다. 아이는 콘텐츠 없이 언어 형

---

82) Katherine Nelson, *Language in Cognitive Development: The Emergence of the Mediated Mind*, p.163 (Cambridge University Press, 1996)

식만으로도 넘치도록 흥분할 수 있기 때문입니다. 다만 성인인 우리가 에밀리의 흥분과 재미를 조금이라도 느껴 볼 수 있도록 제가 상상력을 발휘해 임의로 꾸며내 본 이야기입니다. 성인에게는 무미건조하고 어려운 문법 연습이기만 한 긍정문, 부정문, 의문문 만들기가 에밀리에게는 그 어떤 컴퓨터 게임 못지 않게 흥미진진한 놀이임을 간접적으로나마 체험해 보시라는 취지입니다.

에밀리를 비롯한 아이들이 언어 형식만으로도 이토록 재미있어 하는 이유는 간단합니다. 낱말이라는 개별 블록들을 문법이라는 접착제로 결합하는 방식, 즉 인간으로서의 의사소통 영역에 들어서는 것은 짐승 수준이던 그 이전 단계의 의사소통 영역에 비하면 새로운 차원으로 통하는 문을 발견하여 열어젖히고 들어가는 것만큼이나 경이로운 일이기 때문입니다. 제가 멋대로 추측해서 드리는 말씀이 아닙니다. 헬렌 켈러(Helen Keller, 1880~1968)의 증언이 있습니다.

"그 시원한 흐름이 내 한 쪽 손으로 쏟아지는 동안 선생님은 내 다른 손에 '물'이라는 글자를 처음에는 천천히, 다음에는 빠르게 쓰셨다. 나는 꼼짝하지 않고 선생님 손가락의 움직임에 온 신경을 집중했다. 별안간 막연히 뭔가 느껴졌다. 잊혔던 것에 대한 자각, 생각이 돌아올 때와 같은 전율이었다. 그리고는 이윽고 언어의 신비가 모습을 드러냈다. 나는 그제야 내 손으로 쏟아지고 있는 시원하고 근사한 것이 '물'이라는 것을 깨달았다. 그 살아 있는 단어가 내 영혼을 깨워 빛과 희망, 기쁨을 안겨 주었고 자유롭게 했다. … 모든 사물에는 이름이 있었고 그 이름들을 새로 알게 될 때마다 새로운 생각들이 봇물처럼 터져 올랐다. 집으로 돌아오는 동안 손에 닿는 모든 것이 생명으로 전율하는 듯했다."[83]

이때 헬렌 켈러는 7살이어서 유아에 비하면 훨씬 더 성숙한 나이였음에도, 또 언어라는 것에 대해 어렴풋이 이미 깨닫고 있었음에도, 문장의 영역도 아니고 그저 낱말의 영역에 들어선 것만으로 이토록 짜릿해 했습니다. 하물며 켈러에 비해 한참 어리고 언어에 대한 모든 것이 처음인 유아야 말할 나위도 없습니다. 바로 이런 놀라운 경험이 가능한 덕분에 아이는 언어 그 자체를 놀이로 즐길 수 있고 그래서 아무런 콘텐츠 없이도 혼자 말하기를 잘도 할 수 있는 것입니다.

반면에 성인은 이런 일을 꿈도 꿀 수 없습니다. 아이와 달리 콘텐츠 없는 언어 그 자체에는 아무런 재미도 신기함도 느낄 수 없습니다. 그러기는 고사하고 오히려 아이 때에는 일어날 수 없는 반대의 현상이 일어날 수 있습니다. 이를테면 사람이 앉는 기구의 이름이 chair라는 사실이 영어 원어민 아이에게는 헬렌 켈러의 경이로움이지만 그걸 여태 '의자'로 알고 있던 한국어 원어민 성인에게는 자아의 붕괴일 수 있습니다. 영어로 평서문, 부정문, 의문문을 만드는 것이 영어 원어민 아이에게

83) 헬렌 켈러(Helen Keller), '자서전(Story of My Life)'으로 해당 부분의 영문은 다음과 같습니다: As the cool stream gushed over one hand, she spelled into the other the word water, first slowly, then rapidly. I stood still, my whole attention fixed upon the motions of her fingers. Suddenly I felt a misty consciousness as of something forgotten—a thrill of returning thought; and somehow the mystery of language was revealed to me. I knew then that "w-a-t-e-r" meant the wonderful cool something that was flowing over my hand. That living word awakened my soul, gave it light, hope, joy, set it free! ⋯ Everything had a name, and each name gave birth to a new thought. As we returned to the house, every object which I touched seemed to quiver with life.

는 재미있는 블록 조립 놀이와 같지만 한국어 원어민 성인에게는 '나는 사람입니다'가 '나는 입니다 사람'이 되는 것이어서 마치 사람의 머리가 엉덩이에 붙는 것과 같은 기형의 공포일 수 있습니다. 게다가 우리는 아직 I am a human being.이라는 외계 생물체에는 가지도 않았습니다. 이뿐이 아닙니다. 한국어와는 달라서 한국인 입장에서는 이상하게 들리는 영어의 발음, 억양 등 영어 습득을 시도할 때마다 영어의 모든 측면에서 이런 일이 융단 폭격처럼 벌어집니다. 이러니 성인의 두뇌가 영어를 스펀지처럼 흡수하기는커녕 무시하거나 심지어 거부하는 것도 놀랄 만한 일이 아닙니다.

성인의 이 무시 내지 거부를 공식적으로는 외국어 공포증(xenoglossophobia)[84], 혹은 외국어 불안증(foreign language anxiety)이라는 이름으로 부릅니다. 우리가 이미 다룬 '모국어 조강지처'가 이 현상의 원인에 대한 이름이라면 이것은 증상에 대한 이름인 셈입니다. 그리고 그 이름에서도 알 수 있듯 외국어를 배우려는 성인들 사이에서만 나타나며 모국어를 상대하는 아이들에게서는 찾아볼 수 없습니다. 모국어 공포증이라는 것은 없으니까요.

사실 이 외국어 공포증에 대해서는 존재한다는 학자보다 존재하지 않는다는 학자들이 더 많긴 합니다. 존재한다 하더라도 그저 시험 공포증의 변형이라고 보는 견해도 있고요. 그러나 설사 공포증까지는 아니더라도 조강지처 모국어의 저항은 존재할 수밖에 없기에 어쨌든 새로운 언어 습득에 관해 성인 두뇌의 대응 방식이 아이 두뇌의 대응 방식과 같을 수는 없습니다.

---

84) 외국어 공포증은 외국어 혐오증(xenolingohassen)과는 다릅니다. 전자는 외국어에 대한 무의식적 두려움으로 그 외국어를 습득하지 못하는 현상이고 후자는 인종차별주의의 하나로 자국에서 외국어로 말하는 사람에 대한 혐오를 표출하는 것을 말합니다.

성인에게는 학습인 것이 아이에게는 놀이가 되고 아이의 두뇌에는 존재하지 않는 장벽이 성인의 두뇌에는 생긴다는 사실 등은 언어의 습득이 학습의 문제만은 아님을 다시 한 번 보여 줍니다.

물론 언어 습득이 공부가 아닌 놀이가 된다는 것만으로 성인과 달리 아이의 나머지 언어 습득 여정에 탄탄한 고속도로가 놓이는 것은 아직 아닙니다. 현실에서 아이가 가지고 놀 거리에 언어 놀이 하나만 있을 리가 만무하니까요. 가령 장난감이나 인형을 가지고 논다면 이 역시 무척 재미있는 일이어서 언어 놀이의 재미를 압도할 수 있습니다. 그렇다면 앞서 우주 공간의 비유에 따라 이런 경우 아이들은 언어 놀이가 아니라 장난감 놀이나 인형 놀이 쪽으로 끌려갈 것이고 그 정도와 빈도가 강할수록 언어 놀이를 덜하게 될 터이므로 언어 습득의 성공 여부도 불확실해질 것입니다.

이처럼 공부의 놀이화는 언어 습득 성공에 있어서 양날의 검과 같습니다. 한쪽으로는 집중의 동력에 대한 설명을 제공하여 언어 습득 성공의 논리가 되지만 다른 한쪽으로는 여러 놀이들이 언어 놀이와 같은 공간으로 들어서는 순간 오히려 집중 실패, 언어 습득 실패의 논리로도 사용될 수 있기 때문입니다. 그렇다면 현실에서 여전히 모든 아이들이 언어 습득에 성공하는 것은 어떻게 된 일일까요? 우리는 싫증이라는 현상이 공간에 내내 함께 존재하고 있었음을 잊어서는 안 됩니다.

아이들은 아무리 재미있는 장난감이나 인형에도 곧 싫증을 느낍니다. 신기함과 재미를 느끼는 것과 그것이 싫증 없이 지속한다는 것은 별개의 일입니다. 전자는 후자를 보증하지 못합니다. 그래서 제아무리 신기한 경험, 새로운 놀이 등등도 신기와 재미를 주기는 하되 오래 가지는 못합니다. 여기에는 아이와 어른의 구분이 없습니다. 싫증은 인간 두뇌의 기본값이니까요.

물론 우리는 이 싫증 역시 당연히 언어 놀이에도 적용될 것으로 가정해야 합니다. 단정이 아니라 가정인 이유는 중독성의 유무에 따라 싫증의 작동 여부도 달라질 것이기 때문입니다. 만약 언어 놀이에 중독성이 있다면 싫증은 일어나지 않을 것입니다. 다만 언어 놀이에 중독성이 있는지는 확실하지 않기에 일단 없다고 가정하면 싫증을 느낀다는 가정도 필연적으로 뒤따르게 됩니다. 싫증 역시 양날의 검인 셈입니다. 하지만 이 상황은 진화 역시 같은 공간에 있음을 떠올리는 순간 달라집니다.

인간이 동물처럼 소리만 내다가 처음으로 말이라는 것을 하기 시작했던 당시에는 말의 습득에도 싫증을 내는 인간 개체들이 있었다고 가정합시다. 그럼 어떻게 될까요? 새로운 놀이, 장난감 등에 싫증을 내는 것은 그 개체의 생존에 아무런 영향을 미치지 않습니다. 즉 그런 개체의 유전자는 후세에 계속 전해집니다. 그러나 처음 경험하는 언어의 습득에서 싫증을 내는 것은 결정적인 영향을 미칠 것입니다. 싫증을 내는 개체가 있다면 그 개체는 언어를 제대로 습득하지 못하게 될 텐데 인간의 가장 뛰어난 의사소통 수단이자 사실상 인간이 인간일 수있는 수단이기도 한 언어의 습득에 실패하는 것은 핵심 경쟁력의 상실, 곧 생존의 실패를 의미하기 때문입니다.

이는 개체로서만이 아니라 집단으로서도 마찬가지입니다. 언어를 완벽하게 습득한 개체로만 이뤄진 집단과 그렇지 못한 집단이 충돌할 경우 후자는 전자와의 경쟁에서 살아남기 어렵습니다. 그러면 실패 개체, 실패 집단의 유전자 역시 후대에 전해지지 못합니다. 세월이 흐르면서 이 과정이 몇 차례만 되풀이되면 이제 처음 경험하는 언어나 그에 준하는 샐리언스를 갖는 언어만큼은 싫증을 내지 않는 개체들과 그 후손들만 살아남게 됩니다. 그래서 그 유전자가 전해집니다. 즉 모든 인간 아이는 처음 경험하는 언어 혹은 그 정도의 샐리언스를 가지는 언어에서는 싫증을 내지 않게 됩니다. 물론 이는 어디까지나 저의 합리적 추론에 불과하며 뭔가 다른 요인 때문에 언어에 관한 싫증이 무력화된 것일 수도 있겠고 애초에 언어 놀이에 중독성이 있었을 수도 있습니다. 다만 그게 뭐든 인류 역사 내내 예외 없이 지속하면서 모든 아이의 모국어 습득 성공에 일조한 것이라면 언어 습득은 그저 공부만의 문제가 아니라 환경에 더하여 유전과 진화까지 관여하는 일이라는 것이 다시 한 번 드러납니다.

집중하지 못하는 책상머리 10시간과 집중하는 10분 중 생산성이 더 높은 쪽은 두말할 나위 없이 후자입니다. 이토록 중요한 집중이 의지가 아니라 끌림의 문제여서 그냥 발생하는 것이라는 사실은 언어 습득뿐 아니라 학습 전반에 던지는 시사점이 적지 않습니다.

생각해 보면 동물의 학습과 관련해서는 과학자든 훈련사든 그 누구도 해당 동물의 의지가 관건이라고 말하지 않습니다. 특히 훈련사라면 그저 환경을 갖춰 주고 해당 동물이 좋아하는 것(끌림, 이 경우에는 먹이나 놀이, 그런데 인간 아동의 언어 습득도 놀이임에 유의)을 통해 학습을 유도해내려 할 뿐입니다. 그런데 동물의 하나에 불과한 사람의 학습에서는 희한할 정도로 의지를 강조하니 모순이고 잘못입니다.

9. 영어 습득 환경 구축을 위한 교재 선택법 3

교재와 관련하여 끌림이란 그저 학습에 재미를 더하자는 수준의 이야기가 아니며 매우 중요하다는 것은 앞의 논의를 통해 충분히 증명되었을 것입니다. 자신이 끌리는 교재가 아니라 그저 유행을 좇아 드라마·영화 학습법을 시행하는 것이 왜 반드시 끌림 교재의 이용이 될 수는 없는지도 설명이 되었을 것입니다. 그럼 내가 제대로 끌리는 콘텐츠면 더는 문제가 없을까요? 드디어 그런 콘텐츠로 된 교재를 골라서 유전과 진화라는 말의 등에 올라타 싫증이라는 괴물까지 물리쳤으니 학습이 완벽히 놀이로 변하면서 성공이 보장될까요?

안타깝게도 앞서 '8.4. 놀이 대 공부'에서 말씀드렸듯 '아직 다루지 않은 한 가지 영역의 문제가 미리 해결되었다는 가정' 아래에서만 그렇습니다. 즉 해당 영역의 문제가 해결되었다는 가정이 사라지면 아무리 끌리는 콘텐츠의 교재라 하더라도 아직 성공이 보장되지는 않습니다. 아이라면 역시 자신이 언어 습득 환경의 일부인 까닭에 이 문제의 발생이 원천적으로 차단되지만 성인은 다릅니다. 십중팔구 존재합니다. 따라서 이 문제까지 해결해야 성인이 선택한 끌리는 콘텐츠 교재가 비로소 성공을 보장하는 '적절한' 언어 습득 교재가 될 수 있습니다.

왜 내가 진정으로 끌리는 콘텐츠인데도 실패의 가능성이 아직 남아 있을까요? 바로 난도 조절 실패라는 변수 때문입니다. 가령 제아무리 웨이트 트레이닝을 좋아하는 사람이라도 자신이

들 수 있는 무게보다 더 무거운 것을 들 수는 없습니다. 제아무리 먹는 것을 좋아하는 먹방 유튜버라도 자신이 먹을 수 있는 양보다 더 많은 음식을 먹을 수는 없습니다. 언어 습득에서의 난도 조절도 이와 마찬가지입니다.

아무리 끌리는 콘텐츠여도 그 콘텐츠를 이루는 문장들이 자신이 감당할 수 없는 난도면 실패할 수밖에 없습니다. 심지어 콘텐츠가 아닌 언어 자체에 끌리므로 콘텐츠의 내용은 언어 습득에 아무런 영향을 미치지 않을 것만 같은 아이들마저도 태어나서 줄곧 예컨대 칸트(Immanuel Kant, 1724~1804)의 '순수이성비판'이나 하이데거(Martin Heidegger, 1889~1976)의 '존재와 시간' 수준의 문장만 들으면서 자라면 언어를 전혀 습득할 수 없게 됩니다.

그런데 조금 이상합니다. 지금 우리는 우리 각자의 방구석에 언어 습득 환경을 조성하려는 중입니다. 이 말은 우리는 학교처럼 주어진 교과의 난도에 자신을 강제로 맞춰야 하는 것이 아니어서 얼마든지 스스로 난도를 조절할 수 있음을 뜻합니다. 직접 읽어보고 어려우면 그 교재를 집어 들지 않으면 됩니다. 그럼 자연스럽게 난도 조절이 됩니다. 그런데도 저는 왜 대다수의 성인이 여전히 난도 조절에 실패한다고 말하는 걸까요? 제가 괜히 지금 이 문제를 별도의 장(chapter)으로까지 편성해서 다루고 있는 것이 아닙니다. 우리 대다수가 실패할 수밖에 없는 필연적인 이유들이 있습니다.

예전에는 고등학생이 되면 사용하는 영어 참고서가 1학년 때는 '성문기본영어', 2학년 이후로는 '성문종합영어'로 거의 정해져 있다시피 했습니다. 워낙 다수가 그랬기에 사람들은 책의 이름에서도 '성문'을 빼고 그냥 '기본영어', '종합영어'로 부르곤 했죠. '성문'을 안 붙여도 당연히 그 책이었으니까요. 그렇다보니 상당수 고교 1년생들이 중학교 영어 과정을 제대로 습득하지 못한 상태임에도 그저 고1이 되었다는 이유만으로 '기본영어'를 들고 다녔고 다시 1년이 지나면 이제는 고2가 되었다는 이유만으로 '종합영어'로 넘어가곤 했습니다. 체면치레를 하고 싶었던 것입니다. 물론 이런 학생들의 '기본영어', '종합영어' 책은 3년 내내 앞부분 몇 페이지만 때가 타 검게 변했고 책의 나머지는 새 책처럼 깨끗했으며 그들의 영어 실력은 거의 나아지지 않았습니다.

언어 습득 환경 구축을 위한 교재를 고르는 과정에서도 방금 보신 것과 똑같은 일이 벌어지곤 합니다. 스스로 통제권을 쥐고 있음에도 뭔가의 이유로 자신이 감당할 수 없는 수준의 교재를 고르게 되는 것입니다. 이렇게 난도 제어에 실패하면 성공 확률은 급락하고 실패 확률은 급상승합니다. 그런데 정작 거의 모든 이들이 난도 조절에 실패하게 되는 이유는 이것이 아닙니다. 체면치레 따위는 애초에 할 생각도 없던 분들마저도 거의 100% 빠지게 되는 난도 조절 실패의 두 번째 함정이 있습니다.

교육계에는 그 어떤 과목이든 교재의 난도 선택과 관련해 전해져 내려오는 불변의 조언이 있습니다. 너무 어려우면 안 되고 너무 쉬워도 안 되며 도전 정신을 불러일으킬 수 있으면서 동시에 극복도 가능하도록 적당히 어려운 수준의 난도를 갖는 교재가 최고라는 것입니다. 모두 이미 잘 알고 있는 이 조언의 당위성을 의심해 본 분은 아마 단 한 사람도 없을 겁니다. 그만큼 확고한 믿음입니다. 그런데 이 불문율을 영어 말하기 훈련 교재에 적용하는 순간 또 다른 패착의 시작이 되고 맙니다. 왜 그런지는 앞서 보셨던 진 스틸웰 페체이가 자신의 딸 소피와 나눈 대화를 한 번 더 보면서 알아봅시다. 이 대화는 그 앞의 대화와 더불어 제가 이 책 전체를 통틀어 가장 중요한 부분이라고 말씀드린 바 있습니다. 그만큼 거듭되는 영감의 원천이기 때문입니다.

Sophie: Why—why do—me—why didn't me get flu ever?
Mom: I don't know, you didn't get it, did you, that time.
Sophie: Why didn't me get flu?
Mom: Because you're so healthy.
Sophie: Why are me so health—healthy?
Mom: You're such a fatty.

얼핏 보기만 해도 소피는 엄마의 유창하고 긴 문장을 문제없이 알아듣지만 엄마만큼 말하지는 못하고 있음을 알 수 있습니다. 두 사람이 구사하는 영문의 수준 차이는 상당합니다. 아시다시피 일반적으로 아이들은 어른에 비해 언어 습득 능력은 뒤떨어지지만 그 타고난 조건 덕분에 적어도 성과의 측면에서만큼은 언어 습득의 천재라 할 만합니다. 그런데 이런 천재들조차 듣거나 읽어서 술술 이해하는 문장보다 더 낮은 수준의 문장으로만 문장 생성을 할 수 있는 것을 방금 확인하셨습니다.
　성인은 어떨까요? 다르지 않습니다. 성인들 중 외국어는 고사하고 모국어로도 자신이 읽고 이해하는 수준의 문장으로 말은 물론이고 글로도 쓸 수 있는 사람은 거의 없습니다. 예컨대 저만 해도 각종 경제경영서, 인문사회자연과학 교양서, 여러 고전들, 시인들의 시, 소설가들의 대하소설 등을 술술 읽고 이해할 수 있지만 저 작품들에 나오는 문장에 필적할 정도로 말하거나 글을 쓰지는 못합니다. 즉 저의 문장 생성 능력은 저의 문장 해독 능력보다 한참 떨어집니다. 상황이 이런데도 제가 그저 술술 읽을 수 있다는 이유만으로 저런 책들은 저의 도전 정신을 불러일으키기에는 부족하다고 판단하고는 그보다 더 상위 수준의 문장들을 가지고 말하는 훈련도 하려 들면 어떻게 될까요? 제 두뇌가 그 부하를 감당할 수 있을까요? 어림없는 소리입니다.

이렇게 '읽거나 듣는 것'과 '말하거나 쓰는 것' 사이에서 나타나는 해독과 생성 간 격차는 사실 언어 습득뿐 아니라 분야를 막론하고 거의 어디에서나 벌어지는 현상입니다. 사람들도 언어 외의 다른 분야에서는 이 격차를 거의 자동으로 인지합니다. 가령 명작 영화를 즐겨보는 어느 영화 애호가가 영화 만들기에 흥미가 생겼을 때 대뜸 좋아하는 어느 명작에 필적하는 영화를 만들 수 있다고는 감히 꿈도 꾸지 않습니다. 그저 영화 제작의 걸음마를 배우면서 몇 분짜리 단편 영화 만들기부터 도전합니다. 주제 파악이 저절로 되는 겁니다.

그런데 말하기는 모국어로 이미 익숙하게 할 수 있어서인지 몰라도 외국어로 말하는 훈련에 돌입할 때는 이런 해독과 생성 간 격차를 좀처럼 인지하지 못합니다. 그래서 영어 말하기 훈련에서도 대다수는 '교재 선택에 관한 불변의 조언'에 따라 본인이 평소에 읽는 수준이거나 그보다 약간 더 어려운 수준의 영문에 도전하는 것이 당연하다고 생각합니다. 패착의 시작입니다.

과거에는 말하기보다는 영작이었습니다. 그리고 지금도 마찬가지지만 당시에도 영작은 독해 실력을 수준급으로 올려놓은 사람들이나 할 수 있는 것이라는 생각이 지배적이었습니다. 하지만 그 수준급의 학습자들조차 대다수가 영작 공부에는 도전하는 족족 실패했습니다. 저도 그런 사람들 중 하나였습니다. 왜일까요? 다들 영작이 원래 어려워서 그런 것이라고 생각들을 했지만 아닙니다. 영작도 말하기와 마찬가지로 그 본질은 영어 문장 생성 훈련일 뿐입니다. 그리고 앞서 우리는 이미 보았습니다. 영어 문장 생성 훈련이란 완벽한 문장을 말하려는 강박만 버린다면 영어 실력이 바닥인 사람도 누구나 할 수 있을 만큼 쉽다는 것을요. 따라서 영문 생성 훈련의 하나일 뿐인 영작 훈련 역시 누구나 어렵지 않게 할 수 있습니다. 사람들이 실패했던 것은 영작이 원래 어려워서가 아니라 그저 난도 조절에 실패하여 자기들의 읽기 교재 수준에 맞춰서 영작 공부도 하려고 들었기 때문일 뿐입니다. 이는 그들이 선택했던 교재들을 보면 알 수 있습니다.

뛰어난 독해 실력을 갖고 있었던 그들은 이를테면 미국의 시사 주간지 타임(TIME) 정도는 술술 읽던 학습자들이었습니다. 과거에 영어 공부 좀 한다는 사람들 사이에서는 타임지 읽는 게 유행이던 시절도 있었을 정도이니까요. 그래서 그들은 영작 공부도 타임지와 비슷한 수준에서 하려고 들었습니다. 가령 '기초 영작'과 같은 제목의 책들은 '유치하다'며 거들떠보지도 않았습니다. 집어 드는 책의 최하가 '중급 영작 연구'였고 대부분은 '고급 영작 연구'나 '비즈니스 영작 연구'와 같은 것들이었습니다. 그런데 사실 그들 대다수는 당장 타임지 수준의 기사는 영어로는 고사하고 한국어로도 쓸 수 없었습니다. 즉 모국어인 한국어로도 할 수 없는 일을 외국어인 영어로 하려 들었던 것입니다. 난도 조절 실패입니다. (물론 이런 교재 선택에는 진정 끌리는 콘텐츠여야 한다는 조건의 위배도 포함되니 100% 난도 조절 실패의 탓만은 아닙니다.)

해독의 세계와 생성의 세계는 이만큼이나 서로 다른 규칙이 적용됩니다. 로마에서는 로마법을 따라야 하듯 생성계에서는 생성계의 법칙을 따라야 합니다. 그러므로 읽어 보면 유치하다는 생각이 들 정도로 아주 쉬운 교재를 고르십시오. 그래도 그것으로 막상 영문 생성 훈련을 하려 들면 만만찮다는 것을 깨닫게 될 것입니다. 실패의 길을 걷고 싶지 않다면 처음 생성을 배우기 시작할 때의 교재는 무조건 엄청나게 쉬워야 한다는 것이 정답입니다. 이것이 우리의 교재가 충족해야 하는 세 번째 조건입니다.

10. 영어 습득 환경 구축을 위한 교재 선택법 4

지금까지는 교재 선택과 관련해 이것저것 가려야 하는 것들을 다뤘습니다. 그럼 이제는 가릴 필요가 없는데 사람들이 쓸데없이 가리는 바람에 오히려 영어 습득에 방해가 되는 경우를 살펴보겠습니다. 이런 사례들은 영어를 언어라기보다는 시험 과목의 하나로 대하는 학습자들에게서 대부분 나타납니다. 즉 대한민국이라면 현재 거의 모든 영어 학습자들에게 해당하는 일이라고 볼 수 있겠습니다.

시험으로서의 공부의 특징은 효율성입니다. 바꿔 말하면 앞에서도 말씀드린 바 있다시피 '시험에 나올 것은 공부하고 안 나올 것은 공부하지 않는다'입니다. 저는 삼국지를 좋아해서 완역본으로만 한국어로 네 종류, 영어로 두 종류를 읽었고 영어 공부로도 훌륭한 교재가 될 수 있다고 생각해서 영어판 하나에 풍부한 주석을 달아 영한대역85)으로도 펴낸 바 있습니다. 하지만 삼국지를 영어 교재로 추천하면 삼국지를 좋아한다는 사람들조차도 반응은 한결같았습니다. '좀 읽어 보니 시험에 나올 만한 문장들이 아니어서 교재로는 적합하지 않다'거나 120장으로 이뤄진 삼국지의 처음 1장, 그것도 도입부에 시대 배경을 설명하면서 좀 어려운 영어 낱말과 표현들이 사용된 것만을 보고 '시험 난이도를 뛰어넘는 난도여서 역시 교재로는

---

85) 나관중, 모종강 저, 브레윗 테일러, 지민준 역, '영한대역 삼국지' (다산북스, 2012) '지민준'은 저의 필명입니다.

적합하지 않다'는 것이었습니다. 여전히 영어를 하나의 시험 과목으로만 여기고 있는 것입니다.

이런 태도는 영어 말하기 공부에서도 똑같이 나타납니다. 끌리는 콘텐츠인가 여부가 아니라 알아두면 말하기에 바로 써먹을 수 있는 표현들인가, 혹은 스피킹 시험에 나올만한 표현들인가 여부로 교재를 선택하려는 것이 그것입니다. 언뜻 생각하면 실생활에서든 시험에서든 즉각 활용할 수 있는 표현들부터 습득하기 시작해서 차차 범위를 넓혀가는 전략은 매우 과학적이고 상식적인 듯 보입니다. 그래서인지 이에 대해서는 좀처럼 의심을 품는 사람이 없습니다. 하지만 두뇌의 저장 메커니즘을 조금만 들여다봐도 이런 접근은 적어도 언어에서만큼은 별 근거가 없는 것임을 알 수 있습니다.

가령 우리가 '1919년'을 '3·1 독립운동이 처음 시작된 해'로 공부하면 이는 그 모양 그대로 우리의 두뇌에 저장됩니다. 영어에서도 Good morning을 아침에 누군가에게 하는 '좋은 아침입니다.' 혹은 '안녕하세요.'라는 인사라고 공부하면 이것 역시 그 모양 그대로 두뇌에 저장됩니다. 1919년과 다르지 않습니다. 즉 이런 기본적인 단위에서는 단순 암기와 언어 공부 사이에 큰 차이가 없습니다. 사실 Good morning.을 '아침인사'로 외우는 것은 암기 과목과 다를 게 없습니다. 그리고 이런 식의 암기는 낱말 암기, 숙어 암기, 생활 영어 문장 암기 등 영어 공부에서도 상당 부분을 차지합니다. 그렇다보니 사람들 대부분은 이 관계가 영어 전체적으로도 그럴 것이라 넘겨짚는 경향이 있습니다. 영어에서 제일 처음 배우는 것이 으레 Good morning, How are you?와 같은 것들이니 그 첫 느낌이 그대로 이어지는 겁니다. 그런데 이런 판단은 과연 옳을까요?

영어에서도 'Good morning.' 'I love you.' 'You love

me?' 이런 것들의 학습은 암기 과목의 학습과 별 차이가 없는 것이 맞습니다. 그렇다고 이런 기본 단위에서 통용되는 것이 영어 전반에도 다 통용될까요? 그렇지 않습니다. 좀 긴 영문으로 넘어가는 순간 완전히 다른 세계의 다른 법칙이 적용됩니다. 다음 예문을 보시죠.

Then suddenly, and without warning, ZhaoYun wheeled round his horse so that he faced his pursuer and their two steeds struck breast to breast. With his spear in his left hand, ZhaoYun warded off the halberd strokes and in his right he swung the sword 'Blue Glow'. One slash and he had cut through both helmet and head; ZhongShen fell to the ground, a corpse with only half a head on his body.[86]

우리가 Good morning을 가지고 공부하면 Good morning 은 우리의 두뇌에 그대로 통째로 저장될 수 있습니다. 하지만 방금 소개한 긴 예문은 아무리 공부해도 그 문장들 전체가 우리의 두뇌에 그대로 통째로 저장되는 일은 일어나지 않습니다. 이 긴 예문을 통해 우리의 두뇌에 뭔가가 저장된다면 그것들은 다음과 같은 것들입니다.

then suddenly

---

[86] 그때 별안간 조운이 번개같이 말머리를 돌려 종신을 마주하자 두 마리 말의 가슴이 서로 부딪쳤다. 조운은 종신이 내리찍는 화극을 왼손에 든 창으로 막아내면서 오른손으로는 청강검을 휘둘렀다. 단 일격으로 조운은 종신의 투구와 머리를 두 조각 내버렸다. 종신이 말에서 굴러 떨어지는데 머리가 절반만 몸통에 붙어 있었다. - 나관중, 모종강 저, 브레윗 테일러, 지민준 역, ibid, 7권 p.290~91

without warning
wheel round
so that 등등

이처럼 Good morning과 다를 바 없는 기본 단위의 어휘가 일단 저장됩니다. 다음으로는 이 어휘들을 블록처럼 조립하여 각각의 문장을 만드는 데 사용된 문법이 저장됩니다. Good morning의 사례처럼 전체가 통째로 저장되는 것이 아니라 각 하위 단위로 분리되어 별도로 저장되는 것입니다. 이를 모듈식이라 부르는데 바로 이것이 인간 두뇌의 저장 방식입니다. 우리의 영어 실력이 어느 수준이냐에 따라 물론 다른 것들이 더 저장될 수 있습니다. 단순히 어휘의 뜻만이 아니라 이런 상황에 이런 어휘가 쓰이는구나, 혹은 이런 관계에서는 이렇게 표현해야 하는구나 등등의 추가 정보가 저장되기도 합니다.

앞의 긴 영어 예문은 저의 '영한 대역 삼국지'에서 가져온 것입니다. 장판파 전투에서 조운이 홀로 적진에 뛰어들어 유비의 어린 아들 '아두'를 구한 뒤 탈출하는 상황인데 삼국지 전체에서도 최고로 꼽는 명장면들 중 하나일 정도로 박진감 넘치고 재미있습니다. 하지만 학습자들이 기피한다는 '시험에 거의 나올 일 없는 문장'들로만 이뤄져 있습니다. 그래서 보통의 학습자들은 물론이고 심지어 삼국지를 좋아하는 학습자들마저도 저런 문장의 교재를 가지고 영어 공부하기를 꺼려합니다. 그런데 사람들의 이런 선택은 옳을까요?

앞에 만들어 놓은, '삼국지'를 읽으면서 막상 우리의 두뇌에 저장되는 것들의 목록을 가만히 보십시오. 다 만들면 보시기에 지루할까봐 처음 네 어휘만 제가 목록을 만들었지만 목록 만들기는 누구나 할 수 있으니 나머지는 여러분이 문장들을 읽어나가면서 스스로 만들어 보시기 바랍니다. 문장 전체로는 시험에 거의 나올 일 없는 것이 맞지만 저 문장들을 공부함으로써 우리가 얻게 되는 것들은 대부분 시험에 나올 수 있는 것들이며 실생활에서도 곧바로 써먹을 수 있는 것들임을 아시게 될 것입니다.

이 원리는 우리가 시험에 나올만한 문장들로 영어를 공부한다고 해도 달라지지 않습니다. 그게 Good morning이나 I love you처럼 극도로 짤막한 문장들이 아니라면 우리 두뇌에서 벌어지는 상황은 삼국지 문장을 공부할 때 벌어지는 상황과 그다지 다르지 않다는 것입니다. 즉 '시험에 나올 문장들', 혹은 '바로 써먹을 수 있는 문장들'이 그대로 통째로 저장되는 것이 아니라 분리되고 파편화된 기본 단위들이 저장되는 것입니다. 그렇게 저장된 파편들은 삼국지 때 저장된 파편들과 별로 다르지 않으며 다른 영문을 읽거나 혹은 영어를 말이나 글로 사용해야 할 때가 되면 우리의 두뇌는 그렇게 파편화되어 저장된 것들을 불러내 문법 지식과 재결합하여 사용합니다. 통문장(머리에 기억된 적도 없음)들을 그대로 사용하는 게 아니라요.

물론 '삼국지'만으로는 가령 artificial intelligence나 computer, metaverse처럼 현대 시대에만 존재하는 어휘나 표현은 익힐 수 없습니다. 이것은 분명히 '삼국지'의 단점입니다. 그러나 이것도 실제로는 그다지 염려할 필요가 없는데 왜냐면 저런 걱정이 현실이 되려면 우리는 영어 공부를 1년 365일 오로지 삼국지 하나만 가지고 해야 하기 때문입니다.

현대 사회는 영어 학습자의 편식을 구조적으로 허락하지 않습니다. 영어를 공부하는 사람이라면 누구나 시험 때문에라도 수험서를 펴게 되고 인터넷 때문에라도 다양한 영문을 접하게 되는 까닭입니다. 제가 청년이던 시절에는 한국에서 책이나 영어 잡지, 영어 신문 등을 제외하고 영어를 접할 수 있는 채널이라고는 AFKN이라는 이름의 미군 방송이 유일했습니다. 인터넷도 없던 당시에는 케이블 방송이 있는 것도 아니어서 안테나로 해당 방송을 수신해야 했는데 여간 어려운 일이 아니었습니다.

그런데 지금은 인터넷이 지배하는 세상입니다. 그 정보의 바다에 존재하는 수많은 플랫폼에서 영화며 드라마, 뉴스, 쇼, 강의, 헤아릴 수 없이 많은 수의 개인 방송 등이 미국 영어나 영국 영어뿐 아니라 세계 각지의 다양한 영어로 쏟아지다시피 하고 있습니다. 스마트폰과 인터넷을 끊고 살면 몰라도 영어 학습자이면서 영어를 편식하는 것은 불가능에 가까운 세상이 된 것입니다. 그러므로 우리가 학생이든 직장인이든 주 교재로, 그게 '삼국지'든 야한 소설이든 뭐든, 자신이 재미있어하고 끌리는 것을 선택해 집중적으로 공부하는 것은 (심지어 말하기 공부와 관련해서도) 전혀 문제될 것이 없습니다.

시험이 코앞에 닥친 수험생이라면 수험서를 집중적으로 공부하는 게 맞습니다. 하지만 그게 아니라면 일단 영어 실력의 뿌리부터 튼튼히 하는 게 가장 중요하고 그렇게 하는 데 있어서 교재에 담긴 영문의 종류는, 그게 베오울프(Beowulf)처럼 아예 고대 영어로 쓰인 게 아닌 한, 혹은 첨단 과학이나 기술 관련 전문 용어로 가득한 논문 등이 아닌 한 아무런 상관이 없습니다. 그게 뭐든 그저 여러분이 진정 재미있어하고 끌려서 '한 번이라도 더 되돌아가고 싶은 영문'을 가지고 공부하는 것이 정답입니다. 물론 앞에서 말씀드렸던 난도 조절은 반드시 하셔야 합니다.

11. 나에게 이상적인 교재는 무엇일까?

방법을 이론적으로 알게 되었더라도 막상 실제로 교재를 발굴하고 선택해야 할 때가 되었을 때 나보다 그 길을 먼저 가본 사람들은 뭘 어떻게 했는지를 알면 도움이 되는 경우가 많습니다. 그래서 지금부터는 여태 말씀드린 교재 선택 요령에 근거해 저는 어떤 교재를 어떤 이유로 선택했는지에 대해 말씀드려 볼까 합니다.

아직 인터넷이 대중화되지 않았던[87] 90년대 초반에 제가 수많은 시행착오를 겪고 또 이 서점 저 서점 발품을 팔아가며 직접 비교해 보고 최종적으로 고른 저만의 교재는 고민 상담 칼럼 모음집이었습니다. 지금이야 앤 랜더스(Ann Landers) 칼럼이나 애비(Abby) 칼럼, 마고(Margo) 칼럼 등의 존재가 널리 알려져 있지만 그때만 해도 재미 교포나 유학생이 아니라면 앤 랜더스가 누구인지 아는 사람은 거의 없던 시절이었습니다.

이제는 절판된 이 칼럼 모음집은 앞서 말씀드린 교재의 구성요건들을 모두 갖추고 있었음은 물론이고 그 외의 장점들까지 있었습니다. 첫째, 영한대역이었고 둘째, 고등학교 과정을 제대로 습득한 영어 실력이면 누구나 술술 읽을 수 있을 정도로 쉬웠으며(이는 앤 랜더스 칼럼뿐 아니라 다른 칼럼니스트들의 칼럼 역시 마찬가지입니다.) 셋째, 저로서는 끌림까지는 아니더라

---

87) 당시에는 전화선을 이용해 문자 메시지만을 겨우 주고받는 수준의 PC 통신이라는 것은 대중화되기 시작했습니다.

도 제법 재미가 있었습니다. 이 재미는 일차적으로는 고민 상담이라는 내용(콘텐츠)에서 나온 것이었지만 이차적으로는 그런 칼럼을 통해 현대 영어 원어민들의 생생한 생활상과 문화를 엿볼 수 있다는 실용성 때문이기도 했습니다. 아시다시피 외국어를 배우는 것은 그 언어의 문화를 배우는 거라는 말이 있을 정도로 동시대 문화를 아는 것은 중요한 일인데 미국의 철학자이자 작가인 레베카 골드스타인(Rebecca Goldstein, 1950~)도 인정했듯88) 그런 면에서 이런 칼럼이 단연 최고의 교재인 것입니다. 그런데 장점은 여기에서 그치지 않습니다.

높임말이 없는 영어에서는 높임말 대신 스타일(style) 혹은 레지스터(register)라는 것을 따집니다. 한국어에 비해 영어에서는 글말인지 입말인지, 아니면 격식체인지 비격식체인지가 더 엄격해서 이를 구분해 사용하면 한국어의 높임말이나 반말과 비슷한 효과가 나타나기 때문입니다. 즉 영어에 높임말이 없는 것이 아닙니다. 높임말의 기능이란 결국 격식을 갖추자는 것인 바, 그 격식을 갖추는 방식의 범주나 종류가 영어는 한국어와 다를 뿐입니다. 따라서 이를 체득해서 구분해 사용하거나 그럴 능력이 아직 없으면 회피하는 것은(가령 한국어를 처음 배우는 외국인이 무조건 높임말을 사용하는 것이 바로 회피 전

---

88) You mentioned that you were eager to learn about our society, and believe me, honeypie, nothing gets you under the covers more quickly than the sort of questions that I get sent. — Rebecca Goldstein's *Plato at the Googleplex* (Pantheon Books, 2014) (필자: 앞의 글은 앤 랜더스의 딸이자 Dear Margo라는 이름의 고민 상담 칼럼을 연재하고 있는 마고가 플라톤에게 보내는 가상의 편지입니다. 진짜 마고가 작성한 것이 아니라 가상의 편지이므로 물론 작성자는 책의 저자인 레베카 골드스타인이며 questions는 바로 고민 상담 편지를 말합니다.

략에 해당합니다.) 영어로 말을 하거나 글을 쓸 때 필수입니다.

그런데 고민 상담 글들은 불특정 다수의 독자를 대상으로 하는 글의 특성상 글말이나 입말, 격식체나 비격식체 어느 한 쪽에 치우지지 않습니다. 어떤 면에서는 가장 이상적인 영어인 셈입니다. 즉 여기서 익힌 낱말이며 표현은 격식에 어긋날까 염려할 필요 없이 어떤 상황에서든 그대로 활용해도 대부분 큰 탈이 없습니다. 따라서 이런 칼럼 수준의 메시지를 순식간에 영문으로 생성해 입으로 술술 내뱉을 수만 있다면 대학 강단이든 길거리든 언론 인터뷰 자리든 그 어디에 내놓아도 영어 말하기를 못한다는 소리는 듣지 않을 수 있으니 그야말로 최상의 교재인 셈입니다.

게다가 이제는 이런 교재를 마련하는 데에 돈도 들지 않습니다. 인터넷이 없던 당시의 저는 돈을 주고 이 모음집을 사야 했지만 지금이야 검색[89]을 조금만 해 보면 이런 고민 상담 글을 우리말 번역까지 무료로 함께 제공하는 누리집들이 제법 있습니다. 전에는 원어민 음성 녹음까지 제공하는 곳도 있었는데 요즘은 어떤지 모르겠습니다.

지금 여러분 중에는 고민 상담 칼럼 교재가 갖는 저런 여러 장점 때문에, 또한 직접 교재를 선택하는 수고라는 선택 비용을 덜기 위해, 무작정 저와 같은 교재를 사용하려는 분들이 있을지도 모르겠습니다. 그러나 그런 분들 모두가 당시의 저와 비슷한 독해 능력을 갖고 있지는 않을 것이고 취향이 같지도 않을 것이기 때문에 저의 교재를 그대로 따르시려면 신중하시기 바랍니다.

교재가 가지는 그 어떤 장점도 '학습자 본인이 틈만 나면 돌아가고 싶을 만큼 끌리는 내용'이라는 장점에 비하면 새 발의

---

89) 가령 Dear Abby the Korea Times로 검색해 보세요.

피에 불과합니다. 그러므로 여러분이 틈만 나면 돌아가고 싶은 그런 교재를 고르는 것에만 신경을 쓰십시오. 정 그런 분야를 찾아내기 어렵다면 사람이라면 누구나 끌릴 수밖에 없는 야한 교재를 사용해 보시는 것도 한 방법입니다. 혹은 끌림까지는 아니더라도 그때그때 본인에게 재미를 주는 여러 분야를 골라서 질리기 전에 자주 바꿔 주는 것도 좋은 방법입니다. 어떤 방식이든 그저 각자가 술술 읽고 이해할 수 있는 수준보다 한 단계라도 낮으면서 자신이 조금이라도 더 흥미를 느껴 언제든 돌아가고 싶은 내용이면 됩니다. 그 외의 숱한 장점들은 있으면 좋지만 없어도 무방합니다.

12. 영문 생성 훈련을 하는 구체적 방법

　모든 게 준비된 우리, 이제 영문 생성 훈련에 돌입할 단계에
이르렀습니다. 지금부터는 구체적인 실제 훈련 과정을 설명해
야 하므로 특정 교재를 중심 모델로 논의를 진행합니다. 물론
이 과정에서 드러나는 모든 사항들은 그 어떤 교재 사용자에게
도 그대로 적용됩니다. 단지 논의의 편의를 위해 특정 교재의
사례를 가지고 진행하는 것뿐입니다.

　당연히 우리 훈련의 첫 단계는 번역돼 있는 한국어 메시지를
보고 그에 따라 영문을 생성하는 것입니다. 그리고 지금 이 글
을 읽고 있는 여러분 중에는 곧장 그 훈련에 돌입하려고 하는
분들이 있을 것입니다. 그런데 곧바로 그렇게 하는 것만이 최
선일까요? 학습자에 따라 꼭 그렇지만은 않습니다. 일부 학습
자는 그대로 진행해도 버티겠지만 교재의 난도를 충분히 낮췄
어도 버티기 어려운 학습자들 역시 꽤 많습니다. 이런 학습자
들이 나타나는 데에는 여러 이유가 있겠습니다만 무엇보다도
어휘와 문법에는 각각 두 개의 범주가 존재하는데 그 두 범주
간 격차 때문입니다.

　제가 영어로 쓰인 고민 상담 칼럼들을 '읽고' 이해할 때 동
원하는 어휘력과 문법 지식을 학자들은 수동적 어휘력(passive
vocabulary)과 수용적 문법 지식(receptive grammar
knowledge)이라고 부릅니다. 반면에 영어로 말을 하거나 글을
쓰기 위해 문장을 스스로 만들어내려면 능동적 어휘력(active

vocabulary)과 생산적 문법 지식(productive grammar knowledge)이라는 것이 필요합니다. 수동적 어휘력은 능동적 어휘력에 비례하지 않고 수용적 문법 지식 역시 생산적 문법 지식과 비례하지 않습니다. 즉 아무리 열심히 공부해서 어휘력과 독해력(수동적 어휘력과 수용적 문법 지식)을 길러도 능동적 어휘력과 생산적 문법 지식(말하거나 쓰는 능력)은 좀처럼 길러지지 않습니다. 10년, 20년 넘게 영어 공부를 해도 영어로 말은 하지 못하는 이유가 바로 이 불비례 때문입니다.

여태 문제를 해결하는 데 연거푸 도움이 되었던 '난도 낮추기'가 이 방해 요인에서만큼은 사람에 따라 별다른 도움이 되지 못할 수 있습니다. 범주 자체가 다른 문제인데다 각 학습자에 따라 이 불비례 발생 정도, 그리고 그 불비례에 대한 내성(tolerance)이 제각각이어서 그렇습니다. 즉 전통적인 공부를 통해 말하는 능력이 아예 안 생기는 것은 아니므로 어느 정도는 발전을 하는데 그 정도가 사람에 따라 천차만별이고 그 천차만별의 말하는 실력으로 언어 습득 환경 속으로 들어갔을 때 버티는 내성 역시 천차만별이라는 뜻입니다. 물론 영역해야 할 한국어 메시지의 난도를 '나는 소년입니다.' '그녀는 소녀입니다.' '이것은 책상입니까?' 정도로까지 확 낮추면 문제는 해결됩니다만 지금 우리는 저런 수준의 영어를 말하려고 이 책을 읽고 있는 것이 아닙니다.

그렇게 오래 열심히 영어를 공부했어도 해결되지 않는 능동적 어휘력과 생산적 영문법 지식 부족의 문제를 지금 이 순간 난도 조정과 같은 어떤 요령으로 단칼에 해결할 수는 없습니다. 그것은 불가능합니다. 사실, 우리는 바로 이 능동적 어휘력과 생산적 영문법 지식을 기르려고 지금 말하기 연습을 하려는 것이니까요. 즉 3달이면 3달, 6달이면 6달, 집중적으로 훈련해

야 비로소 길러지는 것이 바로 이 능동적 어휘력과 생산적 영
문법 지식입니다. 두뇌의 관점에서는 영어 거푸집이라고 말할
수도 있는 것이죠.90) 이런 것을 바로 이 자리에서 단번에 해결
하는 비법이 있다면 훈련이라는 것을 할 필요가 없습니다. 그
냥 그 비법을 이용해 영문을 생성하면 될 테니까요. 그러므로
제가 지금부터 설명 드리려는 것은 해결책이 아니라 훈련 과정
을 조금 더 쉽게 하는 데 도움이 되는 요령이라는 것을 미리
말씀드립니다. 하지만 요령에 불과하더라도 교재의 난도를 대
폭 낮췄음에도 여전히 어려움을 겪는 학습자들에게는 이 요령
이 제법 도움이 될 것입니다.

12.1. 디짓 스팬 활용하기

여자들 대다수는 남자들에게 전화번호 따이는 것이 로망입니
다. 당연히 많이 따일수록 자신이 매력적이라는 증명이 되기
때문입니다. 하지만 고기도 먹어 본 사람이 잘 먹는다고 가만
보면 여자들에게 들이대는 것도 늘 들이대는 남자들이 들이댑
니다. 그들의 휴대 전화에는 하루에도 수많은 새 여자들의 번
호가 입력되겠죠. 들이대는 건 그들에게는 가슴 떨리는 고백이
아니라 그저 스포츠요 낚시이니까요.

이런 상황에서 딴 번호를 바로 저장할 수 있는 휴대 전화가
없었다면 남자가 여자의 번호를 따는데 성공하고도 잊어버리는

---

90) 능동적 어휘력과 생산적 문법 지식은 영어 거푸집 즉 영어식 두
뇌와 많은 부분이 겹치지만 완전히 똑같지는 않은 것으로 보입니
다. 가령 전자만 있고 후자는 없다면 그런 사람은 We ain't
gonna tell nobody.와 같은 문장은 이해하기도, 스스로 만들어내
기도 어렵습니다. 또한 각 언어마다 있는 각종 말장난도 창작해내
기 어렵습니다.

일이 비일비재했을 것입니다. 휴대 전화가 없던 과거에는 실제로 그랬는데 여자들은 남자가 무심해서 잊었다고 생각할지 모르지만 번호를 따간 남자들로부터 아무런 연락이 없었던 데에는 그것 말고 다른 과학적인 이유도 있습니다.

학자들에 따르면 사람의 단기 기억은, 그 대단한 인간의 두뇌로도, 평균적으로 7자리(digit)에 불과합니다. 평균치니까 물론 사람에 따라서는 ±2 정도 차이는 있다고 합니다. 그런데 요즘 전화번호들은 기본이 11자리입니다. 공통되는 010을 빼도 8자리니까 단기 기억 한계치입니다. 여자 두 사람의 번호만 따도 16자리나 되니 둘을 모두 기억하기가 무척 어려워집니다. 학자들은 이 단기 기억 한계치인 7(±2)자리를 디짓 스팬(digit span)이라 부릅니다.[91] 기억하는 법을 전문적으로 훈련한 사람들[92]을 제외하면 보통 사람의 두뇌는 저 이상을 넘어서면 한 번 듣거나 봐서는 좀처럼 기억하기 어렵습니다. 바로 이것이 번호를 따간 남자들로부터 아무런 연락이 없었던 이유입니다. 그리고 이 단순한 사실로부터 우리는 두 가지 힌트를 얻게 됩니다.

먼저 첫째 힌트입니다. 다음의 짧은 영문을 읽고 그 뜻을 파악해 보세요. 젊은 시절의 에이브러햄 링컨(Abraham Lincoln, 1809~1865)이 이샴 리비스(Isham Reavis)라는 어느 변호사 시험 준비생 젊은이에게 보낸 편지의 일부입니다.

---

91) Digit Span
http://www.cambridgebrainsciences.com/browse/memory/test/digit-span

92) After several years of training, Dario would eventually be able to remember more than one hundred digits, or about twenty more than Steve. — Anders Ericsson, Robert Pool, *Peak: Secrets from the New Science of Expertise* (Houghton Mifflin Harcourt, 2016)

Always bear in mind that your own resolution to succeed is more important than any other one thing.[93]

어휘:
bear in mind ~ ~을 명심하다
resolution 결심
succeed 성공하다
important 중요한

의미 파악이 끝났습니까? 좋습니다. 그럼 이제 다음의 우리말 메시지를 영어로 말해 보세요. 이때 말로만 하지 마시고 글로도 쓰시기 바랍니다. 글로도 쓰시라니까 영작할 때처럼 사전을 갖다 놓고 오래 고심하며 영문을 떼었다 붙였다 이리 옮겼다 저리 옮기면서 '조립'하려는 분들도 계실 텐데 그러시면 안됩니다. 우리는 지금 영어 낱말 조립 능력이 아니라 말하기 능력을 기르려는 것입니다. 말하기란 '동시 영문 생성 능력'이며 글쓰기, 즉 '순차 영문 생성 능력'과는 다릅니다. 따라서 맞든 틀리든 생각이 떠오르는 것과 동시에 쓰셔야 합니다. 잊지 마세요. 우리의 영어 말하기 훈련을 망치는 주범 중 하나는 완벽하려는 강박이라는 것을요. 그리고 시도하는 와중에 아무리 앞의 영문을 다시 보고 싶더라도 '절대로' 그러시면 안 됩니다. 그럼 우리말 메시지 나갑니다.

성공하겠다는 귀하의 결심이 다른 무엇보다 더 중요하다는 것을 늘 명심하십시오.

---

93) Abrahan Lincoln, source: Letter to Isham Reavis (5 November 1855).
http://en.wikiquote.org/wiki/Abraham_lincoln

영문화 작업이 끝났습니까? 좋습니다. 다들 알아차리셨겠지만 앞의 한국어 메시지는 바로 그 앞에서 읽었던 영문의 우리말 번역문입니다. 그런데 어떻습니까? 방금 전에 이 한국어 메시지에 정확히 해당하는 영문을 읽었음에도 우리 대다수는 이 한국어 메시지를 영어로 제대로 말하지 못했습니다. 물론 일차적으로는 우리에게 능동적 어휘력과 생산적 문법 지식이 없기 때문에 벌어지는 일입니다. 하지만 100% 그것 때문만은 아닙니다. 앞의 영문과 한국어 번역이 모두 디짓 스팬 이내로 짧았다면(가령 I will be back.과 '돌아올게') 능동적 어휘력과 생산적 문법 지식이 전혀 없어도 우리 모두는 한국어 번역문을 보자마자 올바른 영문을 제시했을 것이기 때문입니다.

불과 한 문장, 그것도 짧은 한 문장에 불과한데도 디짓 스팬을 넘어가니까 방금 읽은 영문조차 재생해내지 못하는 일이 벌어졌습니다. 그렇다면 우리가 링컨의 편지의 일부가 아니라 편지 전체를 가지고 영어 말하기 학습을 하려 한다면 어떻겠습니까? 링컨 편지의 우리말 번역을 영어로 바꾸기 전에 영문 전체를 읽는 것이 문제가 될까요? 전혀 되지 않습니다. 심지어 몇 번이고 반복해서 읽어도 그렇습니다. 아니, 초보자일수록 반복해서 읽는 것이 오히려 다음의 세 가지 면에서 더 유리합니다.

첫째, 무작정 영문화 작업에 나설 때보다 두뇌에 걸리는 부하를 줄여서 훈련하기가 더 수월해집니다. 쉽게 배운 것은 쉽게 잊히고 어렵게 배워야 오래 기억에 남는다고들 하지만 이는 그다지 신빙성 있는 말이 아닙니다. 뭔가가 오래 기억되느냐 마느냐는 애초에 배움의 난도에 달린 일이 아니라 샐리언스에 달린 일인 까닭입니다. 샐리언스가 크다면 쉽게 배운 것도 얼마든지 오래 잊히지 않습니다. 제가 give rise to, space out, permeate, taper, wherewithal 등을 딱 한 번 접하고 여태 잊지 않고 있는 것처럼요. 반면에 샐리언스가 작다면 아무리 어렵게 배웠어도 금방 잊힐 수 있습니다. 사실 학습의 과중한 부담은 학습 자체에 대한 두뇌의 무의식적 저항을 키우므로 득보다 실이 더 큽니다. 더욱이 가벼워야 장거리를 달릴 수 있듯 학습 부하가 경감되어야 훈련에 꾸준히 장기간 매진할 수 있는데 영문 미리 읽기가 바로 그 길이 될 수 있다는 점에서 이는, 즉 장기간 훈련 가능성의 증가는 둘째 이점으로 꼽을 수 있습니다. 셋째, 암기 대회의 거의 모든 챔피언들이 사용하는 방법이 연상법이라는 것은 많이들 아실 겁니다. 연상법이 기억에 탁월한 이유는 낯선 것을 기억하기 위해 친숙한 것을 도입하기 때문입니다. 앞서 '8.2. 표면 배움과 몰입 배움'에서도 기억 증진에 도움이 되는 것으로 언급했었던 그 그물망화입니다. 우리 두뇌는 완전히 낯선 것보다 친숙한 면이 있는 것을 더 쉽게 기억합니다. 그러므로 우리의 훈련에서도 한국어 메시지 영문화 작업에 앞서 영문을 충분히 읽어서 친숙도를 높여두면 나중에 영문을 통해 교정을 받을 때 그 내용을 우리의 두뇌가 흡수하기가 더 쉬워집니다.

이처럼 영문 미리 읽기를 하면 능동적 어휘력과 생산적 문법 지식 부족에서 발생하는 문제를 조금이나마 경감할 수 있습니다. 그렇다면 불리한 점은? 없습니다. 앞서도 소개했던 킴 픽처럼 포토그래픽 메모리(photographic memory)를 가지고 있어서 뭐든 한 번 보기만 하면 다 기억하는 사람이 아닌 한 마음껏 하셔도 좋습니다. 이 미리 읽기는 이 책의 방법이 다른 통상적인 영작 학습의 방법과 다른 측면들 중 하나이기도 합니다.

여태 다룬 디짓 스팬 활용법은 그 자체로 주의해야 할 점을 말해 주고 있기도 합니다. 그리고 바로 이 주의할 점이 디짓 스팬이 주는 둘째 힌트입니다. 제 학생 중에는 현진건의 '운수 좋은 날'에 나오는 김 첨지의 아내도 있습니다. 그러면 그녀가 공부하려고 가져 온 영한대역 교재의 영어 문장과 번역 메시지는 다음과 같을 것입니다.

"Don't go out today. Please, stay home for me. I'm so sick…" (이하 생략)
"오늘은 나가지 말아요. 제발 덕분에 집에 붙어 있어요. 내가 이렇게 아픈데..." (이하 생략)

당연히 현진건의 '운수 좋은 날' 영한 대역판입니다. 본인이 진실로 끌리는 것이라면 무슨 내용이든 상관없으니 이것도 좋은 교재입니다. 그런데 영문을 미리 읽은 뒤 한국어 메시지를 보면서 영문 생성을 하라고 했더니 김 첨지의 아내는 Don't go out today. 달랑 한 문장을 읽고는 곧바로 '오늘은 나가지 말아요.'를 보면서 "Don't go out today."라고 입으로 말하는 동시에 손으로 종이에 씁니다. 그런데 비록 완벽한 영어를 말하고 써냈지만 그녀는 지금 영문 생성 훈련을 한 게 아닙니다. 방금 읽어서 단기 기억에 저장된 것을 그대로 쏟아냈을 뿐입니다. 그리고는 다음 문장인 Please, stay home for me.로 넘어가 똑같이 되풀이합니다.

이것은 문장 '생성' 훈련이 아닙니다. 복사(Ctrl+C) 재생(Ctrl+V) 놀이에 불과합니다. 복사, 재생된 단기 기억은 휘발성이라서 조금만 시간이 지나면 잊힙니다. 길거리에서 딴 전화번호가 금방 잊히는 것처럼 말입니다. 즉 이런 식으로 복사 재생 놀이만 해서는 김 첨지 아내의 두뇌에는 영어 문장도, 영어 문장을 생성하는 능력도, 그 어떤 것도 남지 않고 다 사라지게 됩니다. 모두 인간 기억의 디짓 스팬이 우리에게 주는 힌트인데 사실, 이 둘째 힌트는 앞의 'I will be back. 돌아올게'에서 이미 그 모습을 드러낸 바 있습니다.

이 둘째 힌트를 극복하기 위해서는 당연히 영문 미리 읽기를 반드시 디짓 스팬을 압도적으로 넘는 자릿수로 실시해야 합니다. 문장 단위가 아니라 최소한 문단 단위나 전체 에피소드 단위로 하면 좋겠습니다. 고민 상담 칼럼이라면 편지 전체를 가지고 미리 읽기를 하는 겁니다. 그래야 복사 재생 놀이가 아닌 문장 생성 훈련이 됩니다.

여기까지 충실히 읽은 우리는 이제 그동안 학습자들의 노력을 좀먹는 모든 방해 요인들을 알게 되었으므로 피할 수도 있게 되었습니다. 본격적인 영문 생성 훈련에 들어갈 모든 준비가 끝난 것입니다.

12.2. 영문 생성 실전 훈련

지금부터 본격적으로 영어 말하기 능력 습득을 위한 샘플 훈련을 해 보겠습니다. 먼저 다음 영문 전체를 미리 읽으세요. 몇 번이고 반복해 읽어도 좋습니다. 좋다니까 억지로 반복하실 필요는 물론 없습니다. 싫증이 생기기 시작했는데도 억지로 하는 모든 것은 (두뇌의 무의식적 저항을 유발하여) 효율이 좋지 않기 때문입니다. 즉 내키는 데까지만 반복하시는 게 가장 좋습니다. 어휘며 구문에 대한 주석은 영문 아래에 꼼꼼히 달아 놓았으니 참고하시기 바랍니다. 앞서 잠깐 등장했던 링컨이 쓴 편지 전문인데 쉬운 영어로 쓰인 글이라 몇몇 어휘를 제외하면 읽고 이해하는 데는 별 어려움이 없을 테지만 나중에 그 내용을 영어로 바꾸려고 하면 절대 만만한 일이 아님을 아시게 될 것입니다.

*   *   *

To Isham Reavis
Isham Reavis, Esq. Springfield,
My dear Sir: Novr. 5- 1855

I have just reached home, and found your letter of the
23rd. ult. I am from home too much of my time, for a
young man to read law with me advantageously. If you are
resolutely determined to make a lawyer of yourself, the
thing is more than half done already. It is but a small
matter whether you read with any body or not. I did not
read with any one. Get the books, and read and study them
till, you understand them in their principal features; and
that is the main thing. It is of no consequence to be in a
large town while you are reading. I read at New-Salem,
which never had three hundred people living in it. The
books, and your capacity for understanding them, are just
the same in all places. Mr. Dummer is a very clever man
and an excellent lawyer (much better than I, in
law-learning); and I have no doubt he will cheerfully tell
you what books to read, and also loan you the books.

Always bear in mind that your own resolution to succeed,
is more important than any other one thing.

Very truly

Your friend

A. LINCOLN

*   *   *

어휘:

Esq. esquire의 약자. …님, …귀하 / 참고: 원래는 기사(knight) 아래 계급인 향사(鄕士)를 뜻하는 낱말. 이후 Mr., Dr. 대신 이름 뒤에 쓰이는 경칭으로 바뀌었으나 요즘은 구식 표현으로 간주되며 미국 법률가들 외에는 잘 쓰지 않는다. 남녀 모두에게 사용 가능.

reach home 집에 도착하다

ult. ultimo의 약자. 역시 격식체이며 '지난달의, 전달의'라는 의미 / 예문: on the 13th ult. 지난달 13일에 / ult. 대신에 (of) last month를 써도 된다.

be from home 집에서 떨어져 있다, 즉 집을 비우다

too ~ for A to ... A가 ...하기에는 너무 ~인

advantageous 이로운

be determined to ~ ~할 결심이다

resolute 단호한, 결심이 굳은, 확고한

make A of yourself 당신 스스로를 A로 만들다

be more than half done 절반 이상이 이뤄지다

be but a small matter 그저 사소한 일이다 / 이때의 but은 only의 의미

principal feature 주요 요점

be of no consequence 조금도 중요하지 않다 / of + 추상명사 = 형용사

capacity 능력

excellent lawyer 뛰어난 변호사

cheerfully 기꺼이, 즐거이

loan A B A에게 B를 빌려주다

- 162 -

bear in mind ~ ~을 명심하다
resolution 결심
succeed 성공하다

충분히 미리 읽기를 하고 뜻도 파악하셨습니까? 좋습니다. 이제는 다음의 한국어 번역을 보고 영문을 만들어낼 차례입니다. 다들 이미 숙지하고 계시겠지만 노파심에서 다시 한 번 주의할 점들을 말씀드립니다.

영문을 다시 보고 싶은 유혹에 굴복하시면 절대로 안 됩니다. 미리 읽기를 할 때는 몇 번이고 영문을 반복해 읽어도 좋지만 지금부터는 절대로 안 됩니다. 또한 말로만 하는 것이 아니라 글로도 쓰셔야 합니다. 글로 써야 하니까 말로만 할 때보다 속도가 조금 떨어지긴 하겠지만 그것은 괜찮습니다. 그러나 영작을 하듯 상당한 시간을 들여 영어 단어들을 떼었다 붙였다 이리 옮겼다 저리 옮기면서 조립하는 식으로 해서는 안 됩니다. 되든 안 되든 머리에서 실시간으로 영문이 떠오르는 그대로 말하듯 술술 종이에 적어나가십시오. 엉망진창으로 틀려도 괜찮습니다. 만약 감당하기 어려울 만큼 힘들다는 느낌이 든다면 그것은 완벽한 영문을 만들어내야겠다는 강박 때문이거나 난도 조절에 실패했기 때문입니다. 즉 이때는 무조건 의지로 버티는 게 능사가 아니라 내가 여전히 강박을 갖고 있지 않은지 점검하거나 난도를 다시 조절하는 등의 조치가 필요합니다. 그래서 이 힘들다는 느낌이 들지 않도록 환경을 조정하는 데 성공하면 영어로 말하는 훈련은 누구나 할 수 있을 정도로 쉽습니다.

그럼 우리말 번역 나갑니다. 다음 번역문을 읽고 그에 따라 영문 생성 훈련을 직접 해 보세요.

이샵 리비스에게
스프링필드의 이샵 리비스 씨
친애하는 귀하: 1855년 11월 5일

방금 집에 돌아와 보니 지난달 23일에 귀하가 보내신 편지가 있더 군요. 저는 귀하가 저와 함께 법 공부를 하며 도움을 얻기에는 너무 오래 집을 비웁니다.

만약 귀하가 법률가가 되겠다는 결심이 확고하다면 이미 절반 이상 은 성공하신 것입니다. 함께 공부할 사람이 있느냐 없느냐는 사소한 문제에 불과합니다. 저도 혼자 공부했습니다. 책을 사서 주요 요점이 이해가 될 때까지 읽고 공부하세요. 그것이 핵심입니다. 공부하는 장 소가 큰 도시인가 여부는 전혀 중요하지 않습니다. 저는 뉴살렘에서 공부했는데 인구가 3백 명을 넘은 적이 없는 곳입니다. 책과 그 책을 이해하는 귀하의 능력은 어느 장소에서나 똑같습니다. 더머 씨는 매우 똑똑하고 훌륭한 변호사입니다. (법 공부에서는 저보다 훨씬 뛰어납니 다.) 그분이 기꺼이 귀하에게 좋은 책들을 추천해 주고 빌려 줄 것임 을 믿어 의심치 않습니다.

성공하겠다는 귀하의 결심이 다른 무엇보다 더 중요하다는 것을 늘 명심하십시오.

감사합니다.
당신의 친구

A. 링컨 드림

영문화 작업을 마쳤습니까? 고생하셨습니다. 아마 종이에 엉터리 영문들이 가득할 것입니다. 능동적 어휘력과 생산적 문법 지식이 아직 없는 우리이기에 당연합니다. 괜찮습니다. 다음 단계인 교정 과정을 거치면 됩니다.

13. 교정 훈련

  앞서 영문 생성을 연습장에 글로 쓰시라고 한 게 이 교정을
위해서입니다. 이렇게 쓰인 것을 영어 원문과 대조하면서 공부
하면 바로 마지막 단계인 교정이 됩니다. 돈 한 푼 들이지 않
고 누구에게 아쉬운 소리 할 필요도 없이 받을 수 있는 완벽한
원어민 교정입니다. 또한 적절한 교정은 반복되어야 한다는 환
경 요건도 이 교재를 그저 반복 학습하는 것만으로 간단히 충
족됩니다.
  역시 이 교정 훈련을 거치면서도 왠지 잘 이해가 안 되고
얻어지는 것이 없다면 십중팔구 난도 조절 실패이므로 교재 선
택을 다시 하는 게 좋습니다. 교재 선택의 중요성은 아무리 강
조해도 지나치지 않을 정도로 우리 방법의 핵심입니다. 그리고
훈련 과정에서 만들어진 연습장은 버리지 말고 모아 뒀다가 다
음에 반복 연습을 할 때 새로 만들어지는 연습장과 비교하면
과거에는 내 영어의 어느 부분이 약했고 현재에는 어디가 어떻
게 교정됐으며 교정된 것이 얼마나 누적됐는지 등을 확인할 수
있어서 유용합니다.
  이 교정 훈련을 잘 하는 요령은 따로 없습니다. 얼마나 몰입
하느냐에 따라 효과와 효율 모두가 달라질 뿐인데 저로서는 그
몰입은 (의지로 노력한다고 나오는 것이 아니라) 얼마나 본인
이 끌리고 재미있어하는 내용의 교재를 골랐는지(학습자와 교
재의 궁합)와 얼마나 진정으로 영어 말하기 능력을 습득하려는

욕망이 있는지로부터 나온다는 말씀을 드릴 수 있을 뿐입니다.
교정 훈련에 대한 내용은 이것으로 끝입니다.

14. 반복 훈련

　우리 성인이 모국어로 일상 대화를 할 때는 문장을 만들려고 온통 신경을 곤두세우는 일이 없습니다. 그냥 아무 생각 없이 말해도 문장이 자동으로 두뇌에서 만들어져 나오기에 대부분의 경우 거의 무의식적으로 말합니다. 반면에 아이는 어릴수록 이렇게 하지 못합니다. 마치 우리가 영어를 말할 때처럼 문장을 구성해내기 위해 온통 집중합니다. 이미 딸 소피가 엄마인 진 스틸웰 페체이와 나눈 대화에서 확인하신 내용이기도 합니다.

　성인이 자기도 모르는 사이에 두뇌에서 문장을 만들어낸다면 이는 두뇌 과학자들이 말하는 '자동 처리(automatic process)'에 해당합니다. 이 자동 처리의 반대편에 서 있는 처리 과정으로는 '통제 처리(controlled process)'가 있습니다. 아기의 걸음마 학습에서부터 성인이 학교에서 배우는 여러 과목의 학습에 이르기까지 학습이라고 할 수 있는 모든 것은 이 두 과정과 연관됩니다.

　가령 누구나 걸음마를 처음 배울 때는 넘어지지 않기 위해 온 신경을 걸음걸이에 집중해야 했습니다. 제대로 걷지도 못했죠. 당시 우리의 두뇌는 걸음걸이를 통제 처리했기 때문입니다. 하지만 성인이 된 지금 걸을 때 자신의 걸음걸이에 주의를 기울이는 사람은 아무도 없습니다. 스마트폰을 들여다보며 걷는 이른바 스몸비(smombie)들은 주의를 온통 폰의 화면에 쏟느라 종종 자신이 걷고 있다는 사실마저 망각하는데도 걷는 데 아무런 지장이 없습니다. 바로 걷기가 자동 처리되고 있기에 가능한 일입니다.

통제 처리와 자동 처리는 두뇌의 일반적인 작동 방식이므로 당연히 언어 학습에도 적용됩니다. 모국어도 처음 배울 때는 우리의 두뇌가 통제 처리했습니다. 그러다가 시간이 흐르면서 차츰 자동 처리로 바뀐 것입니다.

우리가 하려는 영어 말하기의 궁극적 목표도 바로 이 모국어식의 자동 처리 수준에 이르는 것입니다. 즉 상황이 닥치면 자신도 모르게 영어가 입에서 튀어나오는 경지입니다. 그리고 이런 경지에 이르는 유일한 방법은 (샐리언스가 엄청나게 크지 않는 한) 물론 반복 훈련입니다.

그렇다면 어느 정도의 분량으로 얼마나 반복 훈련을 해야 할까요? 이는 사람에 따라 현재 영어 위치가 다 다를 것이므로 일률적으로 어떻다고 말씀드릴 수가 없습니다. 이를테면 각자의 현재 영어 실력이나 두뇌 상태, 또 영어에 노출되는 양과 질 등이 제각각일 것이므로 어떤 사람은 다른 사람보다 더 적게 반복해도 될 테지만 더 많이 반복해야 되는 경우도 있을 수밖에 없습니다. 다만 어떤 기준점 역할을 하게 될 수 있으므로 저의 경우를 예시로 말씀드려볼까 합니다. 앞으로 훈련에 매진하게 될 여러분들에게 참고가 되었으면 좋겠습니다.

15. 반복 훈련의 분량과 방법

제가 공부했던 고민 상담 칼럼은 책으로 엮여 나온 것이었는데 수험서 정도의 크기에 300쪽 정도의 분량이었습니다. 책의 절반을 한국어 번역과 주석 등이 차지한다고 대강 계산하면 이 책에서 순수 영문은 150쪽가량 되는 셈입니다. 저는 이 책을 20번 반복해서 공부했습니다.

한 칼럼의 공부가 끝날 때마다 각 페이지에는 작대기를 하나씩 그어 바를 정(正)자를 만들어나갔습니다. 저는 앞서 공부했던 것을 잊든 말든 무시하고 처음부터 끝까지 책 전체를 한 번 쭉 공부하고 다시 처음으로 돌아와 반복하는 식으로 했습니다. 그렇게 바를 정(正)자 4개가 매 페이지 위에 만들어졌습니다.

혹시 20번이라는 반복 횟수에 지레 겁이 나는 분들이 계실지도 모르겠는데 전혀 그러실 필요 없습니다. 환경 요건을 '제대로' 충족하셨다면 수시로 돌아가 열어보고 싶은 콘텐츠이므로 20번을 반복한다고 힘들 이유가 없습니다. 이는 사랑하는 애인을 20번 반복해서 본다고 힘들 이유가 없는 것과 본질에서 다를 게 없는 까닭입니다. 그런데 혹시 이 요인을 '제대로' 충족하지 못하신 분들도 크게 걱정하지 않으셔도 됩니다. 우리 방식에서는 이미 불필요한 방해 요인들을 철저히 제거하여 학습 부하를 줄인데다 난도 역시 술술 읽을 수 있는 수준으로 대폭 낮추었기 때문입니다. 이뿐이 아닙니다. 반복 횟수가 늘어날수록 칼럼 하나를 소화하는데 드는 에너지가 경감되면서 책을 한 번 다 보는 속도 역시 빨라집니다. 왜냐면 말하는 능력이 생기면서 그 능력이 점점 자동 처리 단계로까지 접어드는 까닭입니다.

그렇습니다. 20번은 바로 제 영어가 자동 처리 수준에 이른 횟수입니다. 반복 횟수가 20회에 가까워지자 한국어 번역문을 보고 그냥 술술 말을 해도 모범 영문과 거의 차이가 없는 영어 문장들이 제 입에서 나오기 시작했습니다. 차이 나는 부분이 거의 없다시피 했으므로 더는 번거롭게 글로 쓸 필요가 없었죠. 그래서 그 후로는 녹음기에 녹음을 해서 영어 원문과 비교하면서 한두 개 나오는 다른 부분만 체크하면 되었습니다. 말하기 능력이 자동 처리 수준에 이른 것입니다. 물론 이 횟수는 사람에 따라 저처럼 20회가 될 수도 있지만 10회가 될 수도 있고 30회가 될 수도 있겠습니다. 그 값은 각 학습자의 조건에 따라 천차만별일 수밖에 없으니 말입니다. 그러므로 독자 여러분은 훈련을 밀어붙이면서 자신이 자동 처리 수준에 근접하는지 여부를 잘 관찰해 횟수를 조절하시면 됩니다.

그런데 여기에서 정말로 중요한 것은 150쪽에 달하는 영문들을 제가 달달 외워서 거의 똑같이 말할 수 있게 된 게 아니라는 점입니다. 저는 번역된 한국어 메시지를 보고 나름대로 영어 문장을 생성해냈고 그 결과가 반복되는 교정 훈련을 통해 원래 영문과 거의 일치하게 나왔을 뿐이었습니다. 암기가 아니므로 한국어 메시지가 없으면 저는 당연히 아무런 영문도 생성해 낼 수 없었습니다. 즉 두뇌에 암기된 영어 문장이 따로 있는 것이 아니었습니다. 그리고 바로 그렇기 때문에 전혀 본 적이 없는 새로운 한국어 문장을 접해도 술술 영문이 만들어져 입으로 나왔습니다. 일상 대화문은 물론이고 보도문, 토론문 등 장르를 가리지 않았습니다. TV로 방송되는 한국어 뉴스 프로그램들을 들으면 기사 내용이 제 입에서 영어로도 거침없이 나오기 시작한 것도 이 무렵부터였습니다. 영문을 달달 외웠다면 나타날 수 없는 현상입니다. 즉 이것은 150페이지, 20회에 걸친 반복 훈련과 반복 교정의 결과로 문장을 스스로 생성하는 능력이 생긴 것이지 달달 암기한 문장을 그대로 쏟아낸 게 아니었습니다, 물론 100% 완벽하지는 않았겠지만(그런데 이는 영어 원어민들도 마찬가지입니다.) 나름 진정한 말하기 능력이 생긴 것입니다.

이것으로 문장 생성 두뇌 훈련에 대한 설명을 마칩니다. 여태 설명한 훈련 과정을 충실히 따르면 누구나 짧게는 3달, 저처럼 하면 6달, 좀 늦으면 1년, 아무리 늦어도 2년 후에는 영미권 국가에서 살다 왔냐고 영미인들이 물어볼 정도로 말하기를 술술 할 수 있게 됨을 보장합니다. 감히 '보장한다'는 표현을 쓸 수 있는 이유는 이것이 다른 학습법들과는 달리 입 훈련이나 귀 훈련이 아니고 영문 생성 '두뇌' 훈련인데다 학습자의 의지에만 기대는 게 아니라 학습자가 감당해야 하는 부하 자체를 속속들이 줄이면서 그렇게 될 수밖에 없는 환경을 구축하는 학습법이기 때문입니다.

이것으로 제가 말씀드릴 내용은 모두 말씀드렸습니다. 남은 것은 여러분의 매진뿐입니다. 그럼 멀지 않은 장래에 영어 말하기 산의 정상에서 우리 모두 다시 만납시다.

- 끝 -

16. 부록: 섀도잉 혹은 소리 내어 읽기로는 안 되는 이유

본 부록은 본문 '6.1. 대화 상대가 없다'에서 약속드렸던 것입니다. 섀도잉과 소리 내어 읽기는 말하기 훈련이 될 수 없고 각각 듣기 훈련과 읽기 훈련일 뿐이며 따라서 그 둘을 열심히 해도 말하는 능력은 거의 얻을 수 없다는 것을 증명하는 내용입니다. 여기에서는 섀도잉을 위주로 증명할 텐데 원리는 같기 때문에 이 증명 방식은 소리 내어 읽기에도 그대로 적용하여 생각하시면 됩니다. 이 부록은 본문과 독립된 내용으로 모든 사람이 읽으실 필요는 없으며 관심 있는 분만 읽으시면 되겠습니다.

섀도잉은 아시다시피 귀로 들은 것을 거의 동시에 그대로 입으로도 말해 보는 훈련을 말합니다. 입으로도 말해 본다는 점에서 소리 내어 읽기도 섀도잉과 본질적으로는 다를 것이 없습니다. 귀로 입력된 것을 말하느냐 눈으로 입력된 것을 말하느냐의 차이만 있을 뿐입니다.

'입으로 말해 보는'이라는 표현 때문인지 많은 분들이 섀도잉과 소리 내어 읽기를 말하기 훈련으로 받아들이시는데 둘은 절대 말하기 훈련이 될 수 없습니다. 왜 그런지를 두뇌 작동 과정을 통해 간단히 증명해 보겠습니다. 그러려면 먼저 사람들을 오해하게 만드는 '입으로 말해 보는'이라는 표현을 바꿔야 합니다. 왜냐면 섀도잉과 소리 내어 읽기에서 수행하는 소리 내는 행위는 말하기가 아니라 말 그대로 소리 내기, 즉 발화일 뿐이기 때문입니다. 증명이 끝나면 발화가 말하기와 어떻게 다른지, 발화는 왜 말하기가 될 수 없는지가 드러날 것입니다. 그럼 시작합니다.

우리가 어떤 문장을 듣거나 읽는 것은 그 문장의 메시지가 무엇인지를 알아내기 위해서입니다. 그러려면 일단 알아내려는 문장을 분석, 혹은 해체해야 합니다. ← 이제 방금 앞에서 말씀드린 내용을 간단히 도식화하여 적어 보면 다음과 같습니다.

문장→해체(decoding)→메시지 -------------- 과정1

언어심리학자들에 따르면 이는 듣거나 읽을 때 우리의 두뇌에서 벌어지는 과정이기도 합니다. 즉 저 도식화는 제가 멋대로 만든 것이 아니라 이미 언어학, 언어심리학 등에서 보편적인 것입니다. (도식화는 말로만 논리를 전개해서는 잘 드러나지 않는 점들은 물론이고 파악하기 어려운 것들도 한 눈에 뚜렷이 드러내 보여 주는 장점이 있습니다. 그러므로 좀 낯설더라도 잠시만 참고 견디시기 바랍니다.)

반면 우리가 말하거나 쓰는 것은 자신의 메시지를 문장으로 표현해내기 위함입니다. 그러려면 메시지로부터 문장을 스스로 생성해야 합니다. ← 이 앞 내용을 도식화하면 이번에는 다음의 과정2처럼 됩니다. 그런데 자세히 보시면 과정2는 앞에서 소개했던 과정1과 순서부터 시작해서 모든 면에서 정확히 반대라는 것을 알 수 있습니다.

메시지→생성(encoding)→문장 -------------- 과정2

과정2의 마지막에 생성된 문장은 아직까지는 우리의 두뇌에만 존재하며 음성으로든 글로든 표현되기 전임에 유의하세요. 하지만 문장이 생성되었으므로 말하기는 그 상태 그대로 이미 완성되었습니다. 이를테면 짝사랑하는 남자와 우연히 승강기에 단 둘이 타게 된 여자가 곁눈으로 남자를 힐끔거리며 속으로 '사랑해'라고 외쳤을 때 말하기는 이미 완성되었으나 발화는 전혀 이뤄지지 않은 상황을 떠올리시면 됩니다. 과정2의 도식으로부터 우리는 말하기는 문장 생성이며 그 과정에 발화는 꼭 존재할 필요가 없음을 알 수 있습니다. 즉 발화는 말하기가 아니며 둘은 서로 다른 별개의 행위인 것입니다. 그럼 이제 우리는 섀도잉이나 소리 내어 읽기가 왜 말하기 훈련이 될 수 없는지를 증명할 수 있습니다.

우리가 섀도잉이나 소리 내어 읽기를 하는 것은 과정 1에서 듣거나 읽을 때 발화를 하는 것에 해당합니다. 그러면 도식에는 어떤 변화가 생길까요? 발화한다는 이유만으로 과정1의 순서가 저절로 과정2로 바뀌고 해체도 생성으로 자동으로 대체되면서 문장 생성 연습이 될까요? 즉 말하기 훈련으로 질적인 변화를 일으킬까요? 당연히 그렇지 않습니다. 그저 과정1에 발화 단계 하나가 더 추가될 뿐입니다. 예컨대 다음처럼 됩니다.

문장 → **발화** → 해체(decoding) → 메시지 ---------- 과정3

과정3의 도식은 말로만 섀도잉이나 소리 내어 읽기를 논할 때는 볼 수 없었던 여러 가지 점들을 분명히 보여줍니다. 일단 아무리 발화를 해 봐야 과정1의 순서가 과정2로 뒤바뀌는 일은 결단코 일어날 수 없음을 알 수 있습니다. 또한 과정1의 핵심인 문장 해체가 과정2의 핵심인 문장 생성으로 바뀔 아무런 이유가 없음도 역시 잘 확인할 수 있습니다. 게다가 발화가 해체 앞에 놓이면서 완료되면 해체에서 메시지에 이르는 과정이 사라집니다.(회색 처리) 이로부터 알 수 있는 것은 이 발화 행위는 문장의 메시지를 전혀 이해하지 못한 상태에서도, 아니 메시지 이해는 고사하고 문장을 해체·분석할 능력조차 없는 상태에서도 얼마든지 할 수 있음도 역시 확인할 수 있습니다. 예컨대 자바어를 모르는 우리는 aku tresno kowe라는 자바어 문장을 대했을 때 그것을 해체·분석할 능력이 전혀 없으면서도 얼마든지 '아쿠 트레스노 코웨'라고 발화할 수 있습니다.

심지어 이런 발화는 사람만 하는 것도 아닙니다. 사람의 말을 해체·분석할 능력이 조금도 없는 동물들도 사람 말의 발화를 하기도 합니다. 사람의 말을 따라하는 동물로 다들 잘 아시는 일부 앵무새, 까마귀, 까치, 찌르레기, 흉내지빠귀, 금조의 존재가 그 증거입니다. 또한 인터넷을 찾아보면 심지어 일부 개, 고양이, 코끼리 등도 부족하게나마 사람 언어를 발화함을 알 수 있습니다. 그래서 앵무새도 '아쿠 트레스노 코웨'라고 잘만 발화합니다. 이렇게 인간 언어의 발화는 사람만이 아니라 동물들도 얼마든지 해냅니다. 참고로 aku tresno kowe는 I love you를 뜻합니다.

좀 더 나아가 봅시다. 과정3에서 우리는 발화를 해체 앞에 두었지만 사실 발화는 해체 뒤에 놓일 수도 있고 메시지 뒤에 놓일 수도 있습니다. 뒤로 갈수록 좋습니다. 해체 뒤에 놓이면 문장을 나름 해체해서 분석까지 했다는 것을, 메시지 뒤에 놓이면 그 해체·분석이 제법 정확하여 그 결과 나름대로 메시지를 끌어내는 데 성공했음을 뜻하는 까닭입니다. 하지만 그 어떤 위치에 놓이더라도 전체 순서가 거꾸로 바뀌어 과정2로 되거나 해체가 생성으로 바뀌는 일은 절대 일어날 수 없음도 알 수 있습니다. 즉 소리 내어 읽기든 섀도잉이든 말하기 훈련이 될 수는 없습니다.

요즘 학습법들 중에는 발성 학습법이라고 해서 언어의 근본은 소리라면서 소리를 원어민과 똑같이 낼 수만 있게 되면 차츰 듣고 읽는 영어를 더 잘 이해하게 됨은 물론이고 나중에는 영어로 말하는 능력까지 생긴다고 주장하는 사례가 있습니다. 말로만 들으면 말발이 얼마나 화려하냐에 따라 이런 주장도 언뜻 그럴듯하게 들릴 수 있습니다만 과학적인 도식화를 통해 접근해 보면 이런 주장이 얼마나 허무맹랑한지를 한눈에 알 수 있습니다. 왜냐면 저런 주장은 발화만 제대로 하면 문장 해체 능력뿐 아니라 메시지 추출 능력까지 저절로 생기는 것은 물론이고 나중에는 해체 능력이 생성 능력으로도 뒤바뀐다는 주장을 하는 것과 같기 때문입니다. 해체라는 존재를 생성이라는 전혀 다른 존재로 바꾸다니 이는 가히 절대자나 할 수 있는 일입니다. 그런데 이 어려운 일이 아무런 두뇌 훈련 없이 그저 발화라는 입술 움직이기 + 성대 떨림 행위만으로 가능하다는 것입니다. 할렐루야!

사실은 이렇습니다. 중이 제 머리를 못 깎듯 발화는 저런 신적인 능력은 고사하고 발화 자신의 위치를 옮기는 능력도 없습니다. 그래서 앵무새가 아니라 아무리 사람이라도 문법을 공부하고 어휘를 공부하지 않으면 그 사람의 발화 능력이 아무리 발군이더라도, 즉 여러 문장들을 제아무리 원어민과 똑같이 발음할 수 있게 되어도 그 사람의 발화는 해체 뒤로 절대 넘어가지 못합니다.

브라질의 타스민(Tasmin) 양은 케이팝(kpop) 열혈 팬답게 늘 케이팝 노래를 흥얼거립니다. 특히 방탄소년단(BTS)의 노래를 좋아합니다. 그녀의 한국어 가사 발음은 상당히 정확한 편에 속합니다. 그런데 그녀는 한국어를 하나도 모르며 심지어 한글을 읽는 법조차 모릅니다. 그런데도 어떻게 한국어 가사로 된 한국어 노래들을 정확한 한국어 발화로 부르고 있을까요? 유튜브(Youtube)에 올라 있는 숱한 케이팝 영상들을 보면 한국어 및 영어 자막은 물론이고 한국어 로마자 표기 자막도 있기 때문입니다. 예컨대 "사랑해요."라는 가사에 I love you.는 물론이고 saranghaeyo와 같은 자막도 올라오는 식입니다. 타스민은 saranghaeyo를 읽고 노래를 들으며 방탄소년단 멤버들의 실제 발음과 비슷해질 때까지 발화 연습을 해서 깔끔한 한국어 발음으로 노래를 부를 수 있게 된 것입니다. (이탈리아인이 아닌 오페라 가수들 중에도 이탈리아어를 전혀 모르면서도 오페라 노래들을 완벽한 이탈리아어 발음으로 부르는 사람들이 적지 않은데 같은 사례입니다.) 그런데 이런 타스민의 발화를 도식화해 보면 다음과 같습니다.

발화→문장→해체→메시지

발화의 위치에 주의하세요. 이번에는 발화가 심지어 도식의 맨 앞으로 왔습니다. 한국어 문장을 읽을 능력조차 없으면서도 가능한 것이 한국어 발화라는 것을 타스민의 사례는 아주 잘 보여줍니다. 그럼 타스민의 도식에서 발화가 맨 앞에 위치할 수 있게 한 결정권이 발화 자체에 있던가요? 우리 모두는 누구나 그렇지 않다는 것을 이제 잘 압니다. 발화를 저 위치에 가져다 놓은 것은 타스민의 로마자 읽는 능력과 청취 능력이지 발화 능력이 아닙니다. 듣는 능력과 로마자를 읽는 능력이 있었기에 영상의 도움을 받아 타스민이 한국어 발화를 할 수 있었지 그 반대가 아니기 때문입니다.

만약 그녀가 한국어 문장 읽는 법을 배워서 한국어 문장 읽는 능력을 갖게 되면 어떻게 될까요? 이제야 비로소 발화의 위치가 문장 뒤로 옮겨집니다. 하지만 이 경우에도 발화의 위치 결정권은 발화에 있지 않았고 그녀의 한국어 문장 읽는 능력에 있었음을 알 수 있습니다. 그럼 한걸음 더 나아가 발화를 해체 뒤로 옮기려면 어떻게 해야 할까요? 발화만 열심히 해서 한국인과 똑같은 발화 능력을 갖게 되면 저절로 그렇게 될까요? 당연히 어림도 없는 소리입니다. 한국어 자체에도 관심을 갖고 한국어를 열심히 공부해서(바로 한국어 문법 공부와 어휘 공부) 제법 한국어 문장을 해체·분석하는 능력을 길러야 비로소 발화의 위치가 해체 뒤로 옮겨집니다. 이때도 발화의 위치 결정권은 발화 능력에 있지 않고 타스민의 한국어 실력에 있습니다.

이와 같이 발화의 위치 결정권이 발화 자체에 있지 않기에 발화를 아무리 열심히 해 봐야 문장 해체 능력이나 메시지 추출 능력은 길러지지 않습니다. 오직 문장 해체 능력을 직접 기르고 메시지 추출 능력을 직접 길러야만 발화의 위치가 그 뒤로 옮아갈 수 있습니다. 하물며 해체를 생성으로 뒤바꾸는 것은 이것과는 차원이 다른 별개의 문제인데 발화만으로 될 리가 없습니다.

요약해 봅시다. 말하기는 발화 없이도 얼마든지 완성되기에 발화는 말하기가 아니며 심지어 말하기에 필연적으로 포함되지도 않습니다. 이를테면 '속으로 하는 말'은 발화가 없지만 여전히 완벽한 말하기입니다. 문장이 생성되었으니까요. 즉 말하기는 발화가 아니라 즉각적 문장 생성입니다. 게다가 발화는 자기 위치 결정권도 없을 만큼 의존적이어서 존재의 안정성이 크게 떨어집니다. 그래서 다른 단계들은 생략할 수도 없고 다른 것으로 대체할 수도 없지만 발화만큼은 생략해도 되고 다른 것

(글, 수화, 컴퓨터를 이용한 인공 목소리 등)으로 대체해도 됩니다. 엄밀히 발화는 말하기의 필수 요소조차 아니라는 말입니다.

'발화'임에도 말하기는 물론이고 읽기에도 낄 수 있고(소리 내어 읽기) 듣기에도 낄 수 있는(섀도잉) 것도 다 이렇게 그 소속이 불안하고 존재의 필연성이 떨어지기 때문입니다. 그런데 문장 생성이라는 핵심을 붙들고 열심히 두뇌 훈련을 해도 생길까 말까 한 문장 생성 능력이 문장 생성 두뇌 훈련은 하지도 않으면서 입만 벙긋거리는 발화를 한다고 생겨날까요? 절대 그럴 수가 없습니다. 섀도잉이나 소리 내어 읽기, 학원에서 강사 따라 하기 등으로는 절대 말하는 능력이 길러지지 않는 이유입니다.

혹시, 시중의 학습법들이나 유명 학원에 설득당한 경험이 있어서, 혹은 그렇게 해서 성공했다는 경험담들을 수없이 접했기에, 앞의 증명을 확인하고도 여전히 '그래도 뭔가 발화만으로 영어를 마스터할 수도 있지 않을까?'라고 아직 '발화'에 실낱같은 희망을 걸고 연습을 계속 하겠다는 분들이 계십니까? 다시 생각하시기 바랍니다.

그 발화 학습법이나 학원 강사들이 여러분에게 절대로 말해 주지 않는 사실이 하나 있습니다. 여러분이 학원을 다니며 강사 따라 하기로 발화 연습을 열심히 시작하기 까마득히 오래 전부터 여러분은 사실 뭔가를 읽을 때 내내 발화를 이미 하고 있었다는 사실이 그것입니다. 이 책을 읽는 이 순간에도 그렇습니다. 입으로 소리를 냈든 내지 않았든 여태 이 책을 읽은 여러분들의 거의 모두는 내내 발화를 하며 여기까지 왔습니다. 속발화(subvocalization) 현상이 그 증거입니다.

연구에 따르면 거의 모든 사람이 조용히 글을 읽을 때조차 속발화를 합니다.94) 속발화란 소리 없는 발화를 말하고 겉발화는 소리를 내는 발화를 말합니다. 속발화를 하게 되면 겉발화를 할 때와 마찬가지로 혀며 목청 등의 근육이 실제로 움직이는 것으로 알려져 있습니다. 소리만 내지 않을 뿐이지 속발화역시 머릿속에서만 일어나는 현상이 아니라 사실상 발화라는의미입니다. 다만 이런 근육의 움직임이 겉발화 때에 비하면너무도 미세해서 본인은 느끼지 못할 뿐입니다. 자신은 속발화를 조금도 하지 않는다고 주장하는 속독 전문가들조차 미항공우주국(National Aeronautics and Space Administration), 즉 나사(NASA)에서 그들의 미세한 근육 떨림을 측정해 봤더니대다수가 여전히 속발화를 하고 있는 것으로 드러났습니다.95) 그래서 학계에서도 속발화를 완전히 없애는 것은 불가능하다고까지 보고 있습니다. 즉 우리는 뭔가를 읽을 때마다 소리를 내지 않아도 이미 늘 발화를 하고 있었습니다.

사정이 이러하므로 우리는 과정3에서 '발화'를 '속발화'로 대체할 수 있고 이는 한국에서 영어를 배운 모든 사람은 내내 발화를 하며 영문을 읽었다는 말이 됩니다. 속발화도 발화의 하나인 것은 분명하니까요. 물론 소리 내기가 실제로 있고 없고는 엄연한 물리적 행위가 있고 없고의 차이이므로 겉발화와 속발화의 효과가 똑같을 수는 없을지도 모릅니다. 그러므로 이제백번 양보해서 속발화가 겉발화보다 효과가 떨어진다고 합시

---

94) Feng Liu, *A Short Analysis of the Nature of Reading*, p.152, English Language Teaching, Vol. 3, No. 3; September 2010 / Rayner, Keith and Pollatsek, Alexander (1994) *The Psychology of Reading*

95) Dr. Danielle S. McNamara, *PRELIMINARY ANALYSIS OF PHOTOREADING*, p.11, DEPARTMENT OF PSYCHOLOGY COLLEGE OF SCIENCES OLD DOMINION UNIVERSITY, NASA Ames Research Center

다. 하지만 발화는 발화이므로 만약 겉발화로 10만큼의 말하기 능력이 생긴다는 시중 학습법들의 주장이 옳다면 속발화로도 가령 5나 3 아니면 최소한 1이라도 말하기 능력이 생겨야 합니다. 그렇다면 여태 10년이나 20년 이상 속발화를 하며 읽었던 여러분 대다수가 이미 제법 영어로 말할 수 있어야 합니다. 하지만 이 책을 읽고 있는 분들 중에 그런 분이 한 분이라도 있나요? 없습니다. 발화가 말하기, 즉 문장 생성과 별개의 행위여서 문장 생성 능력을 기르는 데 거의 도움이 되지 않기 때문입니다.

A를 훈련하면 A 능력이 좋아질 뿐입니다. 즉 발화 훈련을 하면 그저 입으로 발화하는 능력만 좋아집니다. 영문 생성 능력은 고사하고 해체·분석 능력마저 생기지 않습니다. 여전히 한국어는 하나도 모르지만 방탄소년단의 노래를 기막히게 따라 부를 수 있는 타스민처럼요. 여전히 인간의 언어는 전혀 모르지만 인간의 발화를 똑같이 흉내 낼 수 있는 일부 앵무새, 까마귀, 까치, 찌르레기, 흉내지빠귀, 금조처럼요.

그래도 세상일은 모르는 것이고 사람의 몸은 기계처럼 명확히 구분되는 것이 아니므로 A를 훈련했을 때 혹시 B나 C능력에 아주 미세하게나마 변화가 일어날 가능성이 아예 없다고 단정할 수는 없을 것입니다. 그러나 있다 하더라도 그 효과는 직접 B나 C훈련을 하는 경우와는 비교할 수조차 없을 정도로 미미할 수밖에 없습니다. 갈증 해소 방법으로 물을 직접 마시는 것과 밥을 먹어서 밥에 든 수분을 흡수하는 것 중 어느 쪽이 효과가 뛰어날지를 생각해 보십시오. 당연히 물 직접 마시기입니다. 즉 B나 C능력을 얻고 싶다면 B나 C훈련을 직접 하는 것이 답이지 A훈련을 하는 게 답이 될 수는 없습니다. 영어로 말하고 싶다면 곧장 영문 생성 훈련을 해야지 뜬금없이 발화

훈련(섀도잉 혹은 소리 내어 읽기)을 하는 게 답이 될 수는 없
다는 말씀입니다.

　여태 살펴본 모든 사례들은 발화가 말하기와는 완전히 다른
행위라는 것을, 그리고 말하기에서 아예 없어도 될 만큼 부차
적인 행위라는 것을 잘 보여줍니다. 그러므로 문장 생성 능력
을 확실히 기르고 싶으면 입 훈련이 아니라 두뇌 훈련을 해야
하고 그 훈련법은 입을 이용하는 발화 훈련이 아니라 두뇌를
이용하는 문장 생성 훈련이지 않으면 안 됩니다.

- 부록 끝 -

당신은 반드시 유창한 영어로 말하게 된다
- 외국어 자연 습득의 원리 -

발 행 | 2024년 09월 30일
저 자 | 지갑수
펴낸이 | 한건희
펴낸곳 | 주식회사 부크크
출판사등록 | 2014.07.15.(제2014-16호)
주 소 | 서울특별시 금천구 가산디지털1로 119 SK트윈타워 A동 305호
전 화 | 1670-8316
이메일 | info@bookk.co.kr

ISBN | 979-11-419-5829-9

www.bookk.co.kr
ⓒ 지갑수 2024